第八单元
金属和金属材料

课题1
金属材料

一、几种重要的金属

　　提起金属材料，你应不会感到陌生。环顾你家里的日常生活用品，如锅、壶、刀、锄、水龙头等，它们都是由金属材料制成的。金属材料包括纯金属以及它们的合金。人类从石器时代进入青铜器时代，继而进入铁器时代，就是以金属材料的使用作为标志的。至今，铜和铁作为金属材料一直被广泛地应用着。

图8-1　东汉晚期的青铜奔马（马踏飞燕），现已成为我国的旅游标志

图8-2　河北沧州铁狮子，铸造于953年，距今已有1 000余年的历史，狮高5.3 m，长6.5 m，宽3 m，重约40 t

　　铝的利用要比铜和铁晚得多，那仅仅是100多年前的事情。铝具有密度小和抗腐蚀等优良性能。现在，世界上铝的年产量已超过了铜，位于铁之后，居第二位。

　　你有不少生活经验，例如，知道铁锅、铝锅和铜火锅可以用来炒菜、做饭和涮肉，铁丝、铝丝和铜丝可以导电，也可以弯曲，等等。其实你已经积累了不少有关金属的感性知识。与氧气、氢气等非金属不同，金属具有如图8-3所示的一些物理性质和用途。

义务教育教科书

化学

九年级

下册

人民教育出版社 课程教材研究所
化学课程教材研究开发中心 | 编著

人民教育出版社
·北京·

主　编：王　晶　郑长龙

主要编写人员：李　俊　胡美玲　乔国才　李文鼎　王　晶
　　　　　　　冷燕平　郭　震　杜宝山　何少华　夏建华
责任编辑：乔国才
美术编辑：李宏庆

封面设计：吕旻　李宏庆
版面设计：李宏庆
插　图：郭威　王平　文鲁工作室（封面）
图片提供：朱京　赵昌镛　王辰等

义务教育教科书

化　学

九年级　下册

人民教育出版社　课程教材研究所　编著
化学课程教材研究开发中心

*

人民教育出版社出版发行

网址：http://www.pep.com.cn

人民教育出版社印刷厂印装　全国新华书店经销

*

开本：787 毫米×1 092 毫米　1/16　印张：7.5　插页：1　字数：126 000
2012 年 10 月第 1 版　2017 年 10 月第 8 次印刷
ISBN 978－7－107－24498－8

著作权所有·请勿擅用本书制作各类出版物·违者必究
如发现印、装质量问题，影响阅读，请与本社出版二科联系调换。
（联系地址：北京市海淀区中关村南大街 17 号院 1 号楼　邮编：100081）

绿色印刷　保护环境　爱护健康

亲爱的同学们：
　　你们手中的这本教科书采用绿色印刷标准印制，在它的封底印有"绿色印刷产品"标志。从 2013 年秋季学期起，北京地区出版并使用的义务教育阶段中小学教科书全部采用绿色印刷。
　　按照国家环境标准（HJ2503-2011）《环境标志产品技术要求　印刷　第一部分：平版印刷》，绿色印刷选用环保型纸张、油墨、胶水等原辅材料，生产过程注重节能减排，印刷产品符合人体健康要求。
　　让我们携起手来，支持绿色印刷，选择绿色印刷产品，共同关爱环境，一起健康成长！
北京市绿色印刷工程

目　录

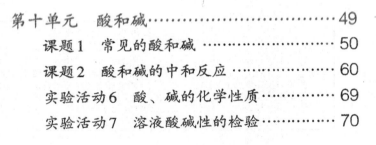

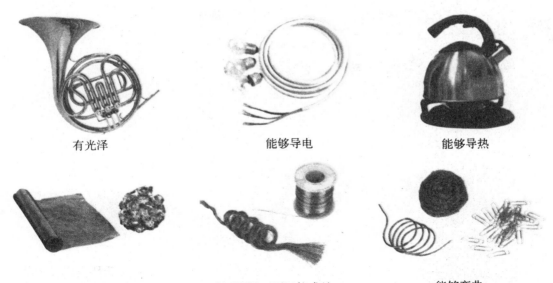

有光泽 能够导电 能够导热

有延展性，能压成薄片 有延展性，可以拉成丝 能够弯曲

图8-3 金属的一些物理性质和用途

  金属除具有一些共同的物理性质以外，还具有各自的特性。例如，铁、铝等大多数金属都呈银白色，但铜却呈紫红色，金呈黄色；在常温下，铁、铝、铜等大多数金属都是固体，但体温计中的汞却是液体……金属的导电性、导热性、密度、熔点、硬度等物理性质差别也较大。表8-1中列出了一些金属物理性质的比较。

表8-1 一些金属物理性质的比较

物理性质	物理性质比较						
导电性（以银的导电性为100作标准）	银	铜	金	铝	锌	铁	铅
	（优）100	99	74	61	27	17	7.9（良）
密度 /（g·cm⁻³）	金	铅	银	铜	铁	锌	铝
	（大）19.3	11.3	10.5	8.92	7.86	7.14	2.70（小）
熔点 /℃	钨	铁	铜	金	银	铝	锡
	（高）3 410	1 535	1 083	1 064	962	660	232（低）
硬度（以金刚石的硬度为10作标准）	铬	铁	银	铜	金	铝	铅
	（大）9	4~5	2.5~4	2.5~3	2.5~3	2~2.9	1.5（小）

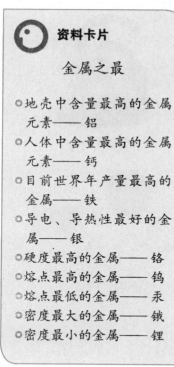

讨论

根据你的生活经验和表8-1所提供的信息,并查阅有关资料分析下列问题。

1. 为什么菜刀、镰刀、锤子等用铁制而不用铝制?

2. 银的导电性比铜的好,为什么电线一般用铜制而不用银制?

3. 为什么灯泡里的灯丝用钨制而不用锡制?如果用锡制的话,可能会出现什么情况?

4. 为什么有的铁制品如水龙头等要镀铬?如果镀金怎么样?

通过上述讨论,可以得出以下结论:

物质的性质在很大程度上决定了物质的用途,但这不是唯一的决定因素。在考虑物质的用途时,还需要考虑价格、资源、是否美观、使用是否便利,以及废料是否易于回收和对环境的影响等多种因素。

二、合金

图8-4 很多宝石中含有某些金属离子,才使它们变得更加绚丽多彩

钢铁是使用最多的金属材料。你也许会认为,钢的性能比生铁的好,因此钢是很纯的铁。其实,钢是含有少量碳及其他金属或非金属的铁。就像厨师在炒菜时那样,他们常常会在菜里加入各种调料,以改善菜的色、香、味,并使菜的营养价值更高。如果在金属中加热熔合某些金属或非金属,就可以制得具有金属特征的合金。例如,生铁和钢就是含碳量不同的两种铁合金。生铁的含碳量为2%~4.3%,钢的含碳量为0.03%~2%。除含碳外,生铁中还含有硅、锰等,不锈钢中还含有铬、镍等。由于在纯金属铁中熔合了一定量的碳、锰或碳、铬、镍等,这种组成的改变,使得合金性能也

随之发生改变。例如，纯铁较软，而生铁比纯铁硬；不锈钢不仅比纯铁硬，而且其抗锈蚀性能也比纯铁好得多。因此，在日常生活、工农业生产和科学研究中，大量使用的常常不是纯金属，而是它们的合金。

 实验8-1 比较黄铜片（铜锌合金）和铜片、硬铝片（铝合金）和铝片的光泽和颜色；将它们互相刻画，比较它们的硬度。

性质比较	现象			
	黄铜	铜	硬铝	铝
光泽和颜色				
硬度				
结论				

图8-5 比较合金和纯金属的硬度

讨论

查阅资料，了解焊锡（锡铅合金）和武德合金（铅、铋、锡和镉组成的合金）的用途。根据下表提供的数据，你能得到什么启示？

	纯金属				合金	
	铅	镉	铋	锡	焊锡	武德合金
熔点/℃	327	321	271	232	183	70
启示						

合金的很多性能与组成它们的纯金属不同，使合金更适合于不同的用途。因此，日常使用的金属材料，大多数属于合金。

尽管目前已制得的纯金属只有90余种，但由这些纯金属按一定组成和质量比制得的合金已达几千种。表8-2中列出了一些常见合金的主要成分、性能和用途。

表8-2　一些常见合金的主要成分、性能和用途

合金	主要成分	主要性能	主要用途
不锈钢	铁、铬、镍	抗腐蚀性好	医疗器械、炊具、容器、反应釜
锰钢	铁、锰、碳	韧性好、硬度大	钢轨、挖掘机铲斗、坦克装甲、自行车架
黄铜	铜、锌	强度高、可塑性好、易加工、耐腐蚀	机器零件、仪表、日用品
青铜	铜、锡	强度高、可塑性好、耐磨、耐腐蚀	机器零件如轴承、齿轮等
白铜	铜、镍	光泽好、耐磨、耐腐蚀、易加工	钱币、代替银做饰品
焊锡	锡、铅	熔点低	焊接金属
硬铝	铝、铜、镁、硅	强度和硬度好	火箭、飞机、轮船等制造业
18K① 黄金	金、银、铜	光泽好、耐磨、易加工	金饰品、钱币、电子元件

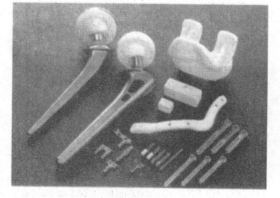

图8-6 钛合金与人体具有很好的"相容性",因此可以用来制造人造骨等

钛和钛合金被认为是21世纪的重要金属材料,它们具有很多优良的性能,如熔点高、密度小(钛的密度仅为4.5 g/cm³)、可塑性好、易于加工、机械性能好等。尤其是钛和钛合金的抗腐蚀性能非常好,即使把它们放在海水中数年,取出后仍光亮如初,其抗腐蚀性能远优于不锈钢。钛和钛合金被广泛用于火箭、导弹、航天飞机、船舶、化工和通信设备等。

① K是表示金的纯度的指标。例如,18K表示含金量达75%,14K表示含金量达58.3%。

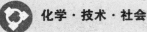

形状记忆合金

形状记忆合金是具有形状记忆效应的合金，被广泛用于做人造卫星和宇宙飞船的天线，水暖系统、防火门和电路断电的自动控制开关，以及牙齿矫正等医疗材料。例如，人造卫星和宇宙飞船上的天线是由钛镍形状记忆合金制造的，它具有形状记忆功能。先将钛镍合金天线制成抛物面，然后在低温下将天线揉成一团，放入人造卫星或宇宙飞船舱内。当人造卫星或宇宙飞船发射并进入正常运行轨道后，天线在舱外经太阳光照射温度升高，就会自动恢复原来的抛物面的形状。

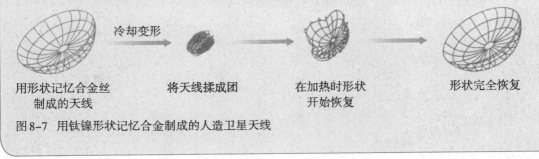

冷却变形

用形状记忆合金丝　　　将天线揉成团　　　在加热时形状　　　形状完全恢复
制成的天线　　　　　　　　　　　　　　开始恢复

图8-7 用钛镍形状记忆合金制成的人造卫星天线

 学完本课题你应该知道

1. 金属具有很多共同的物理性质。例如，常温下它们都是固体（汞除外），有金属光泽，大多数为电和热的优良导体，有延展性，密度较大，熔点较高。

2. 物质的性质在很大程度上决定了物质的用途，但这不是唯一的决定因素。在考虑物质的用途时，还需要考虑价格、资源、是否美观、使用是否便利，以及废料是否易于回收和对环境的影响等多种因素。

3. 金属材料包括铁、铝、铜等纯金属和合金。在金属中加热熔合某些金属或非金属而制得的合金，其性能会发生改变。合金的强度和硬度一般比组成它们的纯金属更高，抗腐蚀性能等也更好，因此，合金具有更广泛的用途。

课外实验

淬火和回火是金属热处理中常用的两种方法。例如，经过淬火后的钢，其硬度和耐磨性增强，塑性和韧性却降低。淬火后的钢再经回火后，其韧性可部分恢复。

淬火：取两根缝衣钢针，用镊子夹住放在火焰上烧至红热后，立即放入冷水中。冷却后取出其中的一根，试验能否将其弯曲。

回火：用镊子夹住另一根淬火后的钢针，放在火焰上微热片刻（不要使钢针烧红），然后放在空气中（最好放在炉灰中）待其自然冷却，再试能否将其弯曲。

练习与应用

1. 青少年一定要爱护自己的眼睛，在光线不足时看书、写字要用照明工具。右图是一种照明用台灯。

   （1）右图中标示的各部件中，用金属材料制成的是＿＿＿(填序号)。

   （2）灯管后面的反光片为铝箔。铝块能制成铝箔是利用了铝的＿＿＿＿性。

   （3）铜质插头是利用了金属铜的＿＿＿＿性。

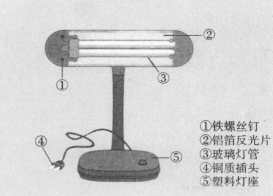

①铁螺丝钉
②铝箔反光片
③玻璃灯管
④铜质插头
⑤塑料灯座

2. 判断下列说法是否正确。

   （1）地壳中含量最高的金属元素是铁。

   （2）钢的性能优良，所以钢是很纯的铁。

   （3）多数合金的抗腐蚀性比组成它们的纯金属更好。

3. 我们目前常用的1元、5角、1角硬币各是用什么合金制造的？这些合金具有什么性质（可查阅有关资料）？

4. 你将选用哪种合金来制造下列物品？说明理由。

   （1）外科手术刀　　　　　（2）防盗门

   （3）门锁　　　　　　　　（4）自行车支架

5. 科学家发现了一种新金属，它的一些性质如右表所示，这种金属的表面有一层氧化物保护层。试设想这种金属的可能用途。

6. 1.1 g某钢样在纯氧中完全燃烧，得到0.013 g二氧化碳。求此钢样中碳的质量分数。

熔　点	2 500 ℃
密　度	3 g/cm^3
强　度	与钢相似
导电性	良好
导热性	良好
抗腐蚀性	优异

课题2
金属的化学性质

　　金属的用途不仅与它们的物理性质有密切关系，而且与它们的化学性质有密切关系。例如，铝能在短短的一百多年里产量得到如此大幅度的提高，并被广泛地应用，除了因为改进了铝的冶炼方法，使其成本大大降低，以及铝的密度较小外，还由于铝的抗腐蚀性能好。那么，为什么铝具有这么好的抗腐蚀性能呢？

一、金属与氧气的反应

　　通过以前的学习，我们已经知道镁和铁都能与氧气反应。实验表明，大多数金属都能与氧气发生反应，但反应的难易和剧烈程度是不同的。例如，镁、铝等在常温下就能与氧气反应。铝在空气中与氧气反应，其表面生成一层致密的氧化铝（Al_2O_3）薄膜，从而阻止铝进一步氧化，因此，铝具有很好的抗腐蚀性能。

$$4Al+3O_2=\!\!=2Al_2O_3$$

　　铁、铜等在常温下几乎不与氧气反应，但在高温时能与氧气反应。"真金不怕火炼"说明金即使在高温时也不与氧气反应。从上述实验事实可以看出：镁、铝比较活泼，铁、铜次之，金最不活泼。

二、金属与盐酸、稀硫酸的反应

　　很多金属不仅能与氧气反应，而且还能与盐酸或稀硫酸反应。金属与盐酸或稀硫酸能否反应，可反映金属的活动性。

金属与盐酸、稀硫酸的反应

在试管里放入少量镁，加入 5 mL 稀盐酸，用燃着的小木条放在试管口，观察现象，并判断反应后生成了什么气体。

参照上述实验步骤，分别在放有少量锌、铁或铜的试管中加入稀盐酸，观察现象，比较反应的剧烈程度。如果有气体生成，判断生成的是什么气体。

用稀硫酸代替稀盐酸进行实验，并比较发生的现象。

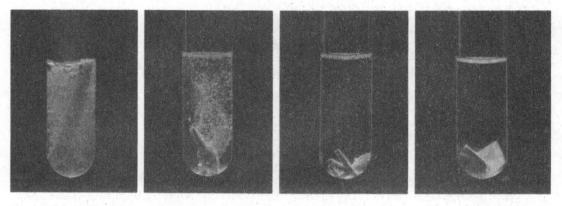

图8-8 镁与盐酸的反应　图8-9 锌与盐酸的反应　图8-10 铁与盐酸的反应　图8-11 把铜放入盐酸中

金属	现象		反应的化学方程式	
	稀盐酸	稀硫酸	稀盐酸	稀硫酸
镁				
锌				
铁				
铜				

根据上述实验现象以及反应的化学方程式讨论：

1. 哪些金属能与盐酸、稀硫酸发生反应？反应的剧烈程度如何？反应后生成了什么气体？哪些金属不能与盐酸、稀硫酸发生反应？根据反应时是否有氢气产生，将金属分为两类。

2. 对于能发生的反应，从反应物和生成物的物质类别如单质、化合物的角度分析，这些反应有什么特点？将这一类反应与化合反应、分解反应进行比较。

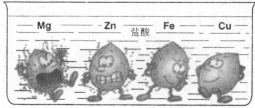

图8-12 金属与盐酸反应的比较

分析上述实验中镁、锌、铁与盐酸（或稀硫酸）的反应：

Mg	+	2HCl	=	MgCl₂	+	H₂ ↑
Zn	+	2HCl	=	ZnCl₂	+	H₂ ↑
Fe	+	2HCl	=	FeCl₂	+	H₂ ↑

$$Mg + 2HCl = MgCl_2 + H_2\uparrow$$
$$Zn + 2HCl = ZnCl_2 + H_2\uparrow$$
$$Fe + 2HCl = FeCl_2 + H_2\uparrow$$

单质　　　　　化合物　　　　　化合物　　　　　单质

这几个反应都是由一种单质与一种化合物反应，生成另一种单质和另一种化合物。这种由一种单质与一种化合物反应，生成另一种单质和另一种化合物的反应叫做**置换反应**。

由上述探究可以得出，镁、锌、铁的金属活动性比铜的强，它们能置换出盐酸或稀硫酸中的氢。

三、金属活动性顺序

我们已经知道，把铁钉放在硫酸铜溶液中，铁钉上会有紫红色的铜生成。这说明铁的金属活动性比铜的强，它可以把铜从硫酸铜溶液中置换出来，这是比较金属活动性的依据之一。

探究

金属活动性顺序

把一根用砂纸打磨过的铝丝浸入硫酸铜溶液中，过一会儿取出，观察，有什么现象发生？

把一根洁净的铜丝浸入硝酸银溶液中，过一会儿取出，观察，有什么现象发生？

把另一根洁净的铜丝浸入硫酸铝溶液中，过一会儿取出，观察，有什么现象发生？

图8-13 铝与硫酸铜溶液　　图8-14 铜与硝酸银溶液
　　　　的反应　　　　　　　　　　的反应

实验	现象	反应的化学方程式
铝丝浸入硫酸铜溶液中		
铜丝浸入硝酸银溶液中		
铜丝浸入硫酸铝溶液中		

讨论：

1. 上述能发生反应的化学方程式的特点是什么？它们属于哪种反应类型？

2. 通过上述实验，你能得出铝、铜、银的金属活动性顺序吗？

Al　　Cu　　Ag

结论：金属活动性 _____。

经过了许多类似上述实验的探究过程，人们进行了认真的去伪存真、由表及里的分析，归纳和总结出了常见金属在溶液中的活动性顺序：

K Ca Na Mg Al Zn Fe Sn Pb (H) Cu Hg Ag Pt Au

金属活动性由强逐渐减弱

金属活动性顺序在工农业生产和科学研究中有重要应用，它可以给你以下一些判断的依据：

1. 在金属活动性顺序里，金属的位置越靠前，它的活动性就越强；

2. 在金属活动性顺序里，位于氢前面的金属能置换出盐酸、稀硫酸中的氢；

3. 在金属活动性顺序里，位于前面的金属能把位于后面的金属从它们化合物的溶液里置换出来。

学完本课题你应该知道

1. 很多金属都能与氧气、盐酸、稀硫酸等发生反应，但反应的难易和剧烈程度不同。

2. 由一种单质与一种化合物反应，生成另一种单质和另一种化合物的反应叫做置换反应。金属与盐酸、稀硫酸，以及铁与硫酸铜溶液的反应等都属于置换反应。

3. 常见金属的活动性顺序如下：

K Ca Na Mg Al Zn Fe Sn Pb (H) Cu Hg Ag Pt Au

金属活动性由强逐渐减弱

金属活动性顺序可以作为金属能否在溶液中发生置换反应的一种判断依据。

练习与应用 ························

1. 铝的化学性质很活泼，为什么通常铝制品却很耐腐蚀？为什么不宜用钢刷、沙等来擦洗铝制品？
2. 波尔多液是一种农业上常用的杀菌剂，它由硫酸铜、生石灰加水配制而成。为什么不能用铁制容器来配制波尔多液？
3. 写出下列变化的化学方程式，并注明反应类型（CO与Fe_3O_4的反应除外）。

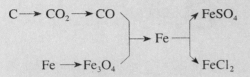

4. 写出镁、铜、氧气、盐酸两两间能发生反应的化学方程式，并注明反应类型。
5. 下列物质能否发生反应？写出能发生反应的化学方程式。
   （1）银与稀盐酸　　　　　　　　　（2）锌与硫酸铜溶液
   （3）铜与硫酸锌溶液　　　　　　　（4）铝与硝酸银溶液
6. 填写下列表格（"混合物"栏中括号内为杂质）。

混合物	除去杂质的化学方程式	主要操作步骤
铜粉（Fe）		
$FeCl_2$溶液（$CuCl_2$）		

7. 现有X、Y、Z三种金属，如果把X和Y分别放入稀硫酸中，X溶解并产生氢气，Y不反应；如果把Y和Z分别放入硝酸银溶液中，过一会儿，在Y表面有银析出，而Z没有变化。根据以上实验事实，判断X、Y和Z的金属活动性顺序。
8. 镁、锌、铁三种金属各30 g，分别与足量盐酸反应，生成氢气的质量各是多少？如果反应后各生成氢气30 g，则需要这三种金属的质量各是多少？

课题3
金属资源的利用和保护

地球上的金属资源广泛地存在于地壳和海洋中，除少数很不活泼的金属如金、银等有单质形式存在外，其余都以化合物的形式存在。

图8-15 自然界中以单质形式存在的金

图8-16 自然界中以单质形式存在的银

资料卡片

金属元素在地壳中的含量

元素名称	质量分数/%
铝	7.73
铁	4.75
钙	3.45
钠	2.74
钾	2.47
镁	2.00
锌	0.008
铜	0.007
银	0.000 01
金	0.000 000 5

工业上从含有金属元素并有开采价值的矿石中提炼金属。常见的金属矿石如图8-17所示。

赤铁矿（主要成分是Fe_2O_3）　　磁铁矿（主要成分是Fe_3O_4）　　菱铁矿（主要成分是$FeCO_3$）

铝土矿（主要成分是Al_2O_3）　　黄铜矿（主要成分是$CuFeS_2$）　　辉铜矿（主要成分是Cu_2S）

图8-17 常见的金属矿石

我国是世界上已知矿物种类比较齐全的少数国家之一，矿物储量也很丰富，其中钨、钼、钛、锡、锑等储量居世界前列，铜、铝、锰等储量在世界上也占有重要地位。

大自然向人类提供了丰富的金属矿物资源，人类每年要提取数以亿吨计的金属，用于工农业生产和其他领域。其中，提取量最大的是铁。

生熟炼铁炉（二）　　生熟炼铁炉（一）

图8-18 我国古代炼铁图

一、铁的冶炼

早在春秋战国时期，我国就开始生产和使用铁器，从1世纪起，铁便成了一种最主要的金属材料。

炼铁的原理是利用一氧化碳与氧化铁的反应。在实验室里，可以利用图8-20所示的装置进行实验。从实验中可以看到，玻璃管里的粉末由红

色逐渐变黑,这种黑色的粉末就是被还原出来的铁;试管里澄清石灰水变浑浊,证明有二氧化碳生成。反应的化学方程式如下:

$$Fe_2O_3 + 3CO \xrightarrow{\text{高温}} 2Fe + 3CO_2$$

图8-19 我国为纪念1996年钢产量突破1亿吨而发行的邮票。2010年中国粗钢产量已超过6亿吨

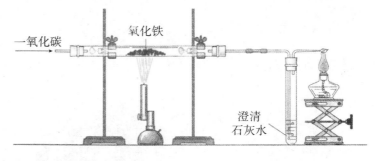

图8-20 一氧化碳还原氧化铁

铁矿石冶炼成铁是一个复杂的过程。把铁矿石、焦炭和石灰石①一起加入高炉,在高温下,利用炉内反应生成的一氧化碳把铁从铁矿石里还原出来,高炉内的主要化学反应如图8-21所示。

图8-21 炼铁高炉及炉内化学反应过程示意图

图8-22 宝钢炼铁高炉

在实际生产时,所用的原料或产物一般都含有杂质,在计算用料和产量时,应考虑到杂质问题。

① 石灰石的主要作用是将矿石中的二氧化硅转变为炉渣。

【例题】用1 000 t含氧化铁80%的赤铁矿石，理论上可以炼出含铁96%的生铁的质量是多少？

【解】1 000 t赤铁矿石中含氧化铁的质量为：

$$1\ 000\ t \times 80\% = 800\ t$$

设：800 t氧化铁理论上可以炼出铁的质量为x。

$$Fe_2O_3+3CO \xrightarrow{\text{高温}} 2Fe+3CO_2$$

160	2×56
800 t	x

$$\frac{160}{2 \times 56} = \frac{800\ t}{x}$$

$$x = \frac{2 \times 56 \times 800\ t}{160}$$

$$= 560\ t$$

折合为含铁96%的生铁的质量为：

$$560\ t \div 96\% = 583\ t$$

答：1 000 t含氧化铁80%的赤铁矿石，理论上可以炼出含铁96%的生铁583 t。

二、金属资源保护

一方面，人类每年要向自然界索取大量的金属矿物资源，以提取数以亿吨计的金属。另一方面，根据有关报导，现在世界上每年因腐蚀而报废的金属设备和材料相当于年产量的20%~40%。这是多么惊人的数字呀！防止金属腐蚀已成为科学研究和技术领域中的重大问题。

1. 金属的腐蚀与防护

🔄 探究

铁制品锈蚀的条件[①]

根据你的生活经验，已经知道铁制品在干燥的空气中不易生锈，但在潮湿的空气中容易生锈，试通过实验对铁制品锈蚀的条件进行探究。

现有洁净无锈的铁钉、试管、经煮沸迅速冷却的蒸馏水（思考：为什么要用蒸馏水？）、植物油、棉花和干燥剂氯化钙。你还可以选用其他物品。仔细

---

① 本探究应在一周前开始做。

观察并参考图8-23所示的装置，设计实验证明铁制品锈蚀的条件。

注意每天观察铁钉锈蚀的现象，连续观察约一周，认真做好记录，并与同学进行交流。

通过探究，你对铁制品锈蚀的条件能得出哪些结论？

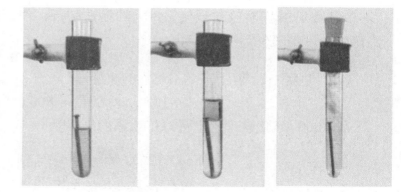

图8-23 铁钉锈蚀条件的探究

铁制品锈蚀的过程，实际上是铁与空气中的氧气、水蒸气等发生化学反应的过程。铁制品锈蚀需要条件，例如，要有能够发生反应的物质，反应物要能相互接触，生成物不会对反应起阻碍作用，等等。铝与氧气反应生成的致密的氧化铝薄膜，能覆盖铝的表面，从而保护里层的铝不再与氧气反应；而铁与氧气、水等反应生成的铁锈（主要成分是$Fe_2O_3 \cdot xH_2O$）很疏松，不能阻碍里层的铁继续与氧气、水等反应，因此铁制品可以全部锈蚀。

了解了铁制品锈蚀的条件，就可以根据这些条件，寻找防止铁制品锈蚀的方法。

讨论

1. 通过对铁制品锈蚀条件的探究，你对防止铁制品锈蚀有什么建议？

对防止铁制品锈蚀的建议

2. 自行车的构件如支架、链条、钢圈等，分别采取了什么防锈措施？

图8-24 自行车

2. 金属资源保护

矿物的储量有限，而且不能再生。根据已探明的一些矿物的储量，并根据目前这些金属的消耗速度，有人估计一些矿物可供开采的年限如图8-25所示

（不包括今后新探明的矿物储量、一些国家的金属储备量和金属的回收利用等）。

怎样保护金属资源呢？

除了前面讨论的应防止金属的腐蚀外，保护金属资源的另一条有效途径是金属的回收利用。据估算，回收一个铝质饮料罐比制造一个新饮料罐要便宜20%，而且还可节约金属资源和95%的能源。目前，世界上已有50%以上的铁和90%以上的金得到了回收利用。

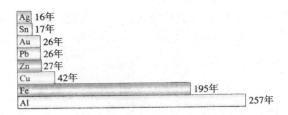

图8-25 据估计一些矿物可供开采的年限

废旧金属的回收利用还可以减少对环境的污染。例如，废旧电池中含有铅、镍、镉、汞等，如果将废旧电池随意丢弃，这些金属渗出会造成地下水和土壤的污染，威胁人类健康。将这些金属回收利用，不仅可以节约金属资源，而且可以减少对环境的污染，这是一举两得的好事。如在目前铅的生产量中，来自于汽车用过的铅酸蓄电池的再生铅就占有很大的比例。

保护金属资源的第三条有效途径是应有计划、合理地开采矿物，严禁不顾国家利益的乱采矿。其他途径还有寻找金属的代用品等。随着科学技术的发展，新材料层出不穷。例如，目前已经广泛用塑料来代替钢和其他合金制造管道、齿轮和汽车零部件等。

讨论

稀土是储量较少的一类金属的统称，有"工业的维生素"的美誉，广泛应用于新能源、新材料、航空航天、电子信息等尖端科技领域，是不可再生的重要战略资源。有关资料显示：

● 到目前为止，我国的稀土储量居世界第一位。但据估算，1970年，我国已探明的稀土储量约占世界总储量的75%左右；到2005年，这一比例下降到55%左右；近几年来，这一比例继续下降。

● 据估算，目前我国稀土生产量约占世界总产量的80%以上，居世界第一位。按现在的生产量计算，我国的稀土储备仅能维持15~20年。

● 目前，我国的稀土年消费量居世界第一位。其中，应用在新材料领域的消费量已占总消费量的50%以上。

● 据估算，目前我国60%以上的稀土产品出口到国外。出于环境保护和资源储备等因素的考虑，有些发达国家封存本国的稀土矿而从我国进口稀土产品。

我国生产的主要是低端稀土产品，在高端产品方面远落后于发达国家。

我国在稀土开采与生产过程中存在着资源浪费、生态破坏和乱采滥挖等问题。

我国从1999年开始实行稀土出口配额管理；2011年，《国务院关于促进稀土行业持续健康发展的若干意见》发布。

结合以上信息，并查阅有关资料，就我国稀土资源的合理利用和保护问题谈谈你的看法，并与同学交流。

学完本课题你应该知道

1. 把铁矿石冶炼成铁是一个复杂的过程，其主要反应原理是在高温下，一氧化碳夺取铁矿石里的氧，将铁还原出来：

$$Fe_2O_3 + 3CO \xrightarrow{\text{高温}} 2Fe + 3CO_2$$

2. 在实际生产时，所用的原料或产物一般都含有杂质，在计算用料和产量时，应注意杂质问题。

3. 铁生锈的主要条件是与空气和水（或水蒸气）直接接触，如果隔绝了空气和水，就能在一定程度上防止钢铁生锈。在钢铁表面涂油、刷漆、镀耐磨和耐腐蚀的铬及制造耐腐蚀的合金如不锈钢等，都能防止钢铁生锈。

4. 保护金属资源的有效途径是防止金属腐蚀、回收利用废旧金属、合理有效地开采矿物，以及寻找金属的代用品等。

调查与研究

调查你家以及你生活的社区金属废弃物的主要品种、回收情况和回收价值等，对今后如何回收金属废弃物提出建议。

1. 写出下列矿石主要成分的化学式。
   （1）赤铁矿：_____；　　（2）磁铁矿：_____；
   （3）菱铁矿：_____；　　（4）铝土矿：_____。

2. 通过实验回答，铁钉在下列哪些情况下容易生锈？
   （1）在干燥的空气中。
   （2）在潮湿的空气中。
   （3）部分浸入食盐水中。
   （4）浸没在植物油中。

3. 回答下列问题：
   （1）为什么沙漠地区的铁制品锈蚀较慢？
   （2）被雨水淋湿的自行车，为什么须先用干布擦净后才能用带油的布擦？

4. 我国古代将炉甘石（$ZnCO_3$）、赤铜（Cu_2O）和木炭粉混合后加热到约800 ℃，得到一种外观似金子的锌和铜的合金，试写出反应的化学方程式（提示：$ZnCO_3$加热可分解为ZnO）。

5. 某钢铁厂每天需消耗5 000 t含Fe_2O_3 76%的赤铁矿石，该厂理论上可日产含Fe 98%的生铁的质量是多少？

6. 冶炼2 000 t含杂质3%的生铁，需要含Fe_3O_4 90%的磁铁矿石的质量是多少？

7. 对如何防止你家的刀、剪等钢铁制品和铁制农具等生锈，提出两种以上的方案，比较方案的优缺点，并在家里实施你的方案。

单元小结

一、金属材料

1. 金属与非金属物理性质的比较（可查阅有关资料）

物理性质	金属	非金属
状态	在常温下，除汞是液体外，其余都是固体	在常温下，有些是气体，有些是固体，个别是液体
密度		
光泽		
导电性导热性		
延展性		

2. 合金

金属材料包括纯金属和合金。把两种或两种以上的金属熔合在一起，或者把金属和非金属熔合在一起，就可以制得具有金属特征的合金。合金的很多性能一般比组成它们的纯金属更好，因此，在实际中大量使用的金属材料是合金。

二、金属的化学性质

1. 很多金属都能与氧气、盐酸和稀硫酸等反应，但反应的难易和剧烈程度不同。以 Fe、Al、Cu 为例，写出它们与氧气、稀硫酸反应的化学方程式。

_____

_____

2. 由一种单质与一种化合物反应，生成另一种单质和另一种化合物的反应叫做置换反应。例如：

_____

_____

_____

如果用A＋B＝C来表示化合反应的话，请用相似的方法来表示分解反应和置换反应。

分解反应： _____

置换反应： _____

3. 常见金属的活动性顺序如下：

K Ca Na Mg Al Zn Fe Sn Pb (H) Cu Hg Ag Pt Au

金属活动性由强逐渐减弱

举例说明金属活动性顺序可以给你哪些判断的依据：

_____

_____

_____

_____

三、金属资源的利用和保护

1. 把铁矿石冶炼成铁的主要反应原理是：

_____

在实际生产时，还会遇到有关杂质的计算问题。

2. 铁锈蚀的主要条件以及防止铁锈蚀的主要措施是：

_____

_____

3. 保护金属资源的有效途径是：

_____

_____

_____

实验活动4 金属的物理性质和某些化学性质

【实验目的】

　　1. 巩固和加深对金属性质的认识。

　　2. 培养实验设计能力。

【实验用品】

　　试管、试管夹、酒精灯、坩埚钳、电池、导线、小灯泡、火柴。

　　镁条、锌粒、铝片、铁片、铁粉、铜片、黄铜片（或白铜片）、稀盐酸、稀硫酸、硫酸铜溶液、硝酸银溶液。

　　你还需要的实验用品：_____

【实验步骤】

　　1. 金属的物理性质

　　(1) 观察并描述镁、铝、铁、铜的颜色和光泽。

　　(2) 采取相互刻画的方法，比较铜片和铝片、铜片和黄铜片（或白铜片）的硬度。

　　(3) 请你设计并进行实验，证明金属具有导电性（或导热性、延展性）。

　　2. 金属的化学性质

　　(1) 用坩埚钳夹取一块铜片，放在酒精灯火焰上加热，观察铜片表面的变化。

　　(2) 向5支试管中分别放入少量镁条、铝片、锌粒、铁片、铜片，然后分别加入5 mL稀盐酸（或稀硫酸），观察现象。如果有气体生成，判断生成的气体是什么。

　　(3) 请你设计并进行实验，比较铁、铜、银的金属活动性强弱。

实验步骤（文字或图示均可）	现象	结论

> **? 想一想**
>
> 　　可以利用什么反应比较不同金属的活动性强弱？

【问题与交流】

　　铁是银白色金属。在上述实验中，你观察到的铁片和铁粉是什么颜色的？你有什么问题？查阅资料，与同学交流。

第九单元
溶液

课题1
溶液的形成

地球的大部分表面被蓝色的海洋覆盖着。如果你在海水中游过泳的话，就会发现海水又苦又咸。这是为什么呢？原来海水中溶解了许多物质，它是一种混合物。

图9-1 海水中含有80多种元素，是巨大的资源宝库

一、溶液

🔬 **实验9-1** 在20 mL水中加入一匙蔗糖，用玻璃棒搅拌，观察现象。

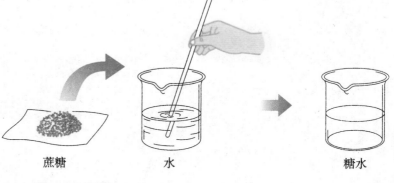

蔗糖　　　　　水　　　　　糖水

图9-2 蔗糖溶解

蔗糖放进水中后，很快就"消失"了，它到哪里去了呢？原来，蔗糖表面的分子在水分子的作用下，逐步向水里扩散，最终蔗糖分子均一地分散到水分子中间，形成一种混合物——蔗糖溶液。如果把食盐（主要成分是氯化钠）放进水中，氯化钠在水分子的作用下，也会向水里扩散，最终均一地分散到水分子中间，形成氯化钠溶液，只不过氯化钠在溶液中是以钠离子和氯离子的形式

存在。取出蔗糖溶液（或氯化钠溶液）中的任意一部分进行比较，发现它们的组成完全相同，即溶液是均一的；只要水分不蒸发，温度不变化，蔗糖与水（或氯化钠与水）不会分离，即溶液是稳定的。

像这样一种或几种物质分散到另一种物质里，形成均一的、稳定的混合物，叫做溶液。能溶解其他物质的物质叫做溶剂，被溶解的物质叫做溶质。溶液是由溶质和溶剂组成的。例如，在上述蔗糖溶液中，蔗糖是溶质，水是溶剂；在氯化钠溶液中，氯化钠是溶质，水是溶剂。

水能溶解很多种物质，是一种最常用的溶剂。汽油、酒精等也可以作溶剂，如汽油能溶解油脂，酒精能溶解碘，等等。

 **实验9-2** 在两支试管中各加入1~2小粒碘，然后分别加入5 mL水或5 mL汽油；另取两支试管各加入1~2小粒高锰酸钾，然后分别加入5 mL水或5 mL汽油。振荡，观察现象。

碘+水　　　　碘+汽油　　　高锰酸钾+水　　高锰酸钾+汽油

图9-3 碘和高锰酸钾的溶解性比较

溶质	溶剂	现象
碘	水	
碘	汽油	
高锰酸钾	水	
高锰酸钾	汽油	

实验表明，碘几乎不溶于水，却可以溶解在汽油中；高锰酸钾几乎不溶于汽油，却可以溶解在水中。这说明，同一种物质在不同溶剂中的溶解性是不同的，不同的物质在同一溶剂中的溶解性也是不同的。

实验9-3 在盛有2 mL水的试管中滴入2~3滴红墨水（用红墨水是为了显色，利于观察），振荡。然后将试管倾斜，用滴管沿试管内壁（注意：滴管不要接触试管内壁）缓缓加入约2 mL乙醇，不要振荡，观察溶液是否分层。然后振荡并静置几分钟，观察现象。

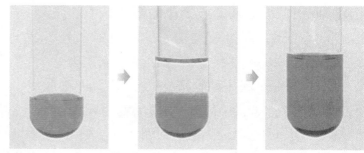

水中滴入红墨水，振荡　加入乙醇，不要振荡　　　振荡，静置

图9-4 乙醇能溶解在水中

振荡前现象	
振荡后现象	
静置后现象	
结论	

溶质可以是固体，也可以是液体或气体。如果两种液体互相溶解时，一般把量多的一种叫做溶剂，量少的一种叫做溶质。如果其中有一种是水，一般把水叫做溶剂。如实验9-3水和乙醇形成的溶液中，乙醇为溶质，水为溶剂。通常不指明溶剂的溶液，一般指的是水溶液。

溶液在日常生活、工农业生产和科学研究中具有广泛的用途，与人们的生活息息相关。

农业生产上，无土栽培的植物生长在营养液中

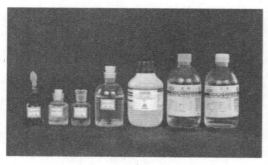

化学实验室中用的溶液

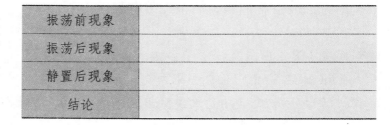

医疗上用的溶液

图9-5 溶液具有广泛的用途

二、溶解时的吸热或放热现象

⊘ 探究

溶解时的吸热或放热现象

现有试管、烧杯、玻璃棒、温度计等仪器和固态 $NaCl$、NH_4NO_3、$NaOH$（你还可以选用其他仪器和药品），试设计实验方案，探究它们溶解于水时是放出热量还是吸收热量。

实验方案：_____

_____

_____

画出你所设计的实验装置简图：

⚠ **注意**

1. 为了便于比较，$NaCl$、NH_4NO_3、$NaOH$ 三种溶质和水的用量应大致相等。

2. $NaOH$ 有强烈的腐蚀性，使用时要十分小心，不要把 $NaOH$ 或其溶液沾到皮肤或衣服上，特别要防止 $NaOH$ 溶液溅入眼中！

记录：

水中加入的溶质	NaCl	NH₄NO₃	NaOH
加入溶质前水的温度/℃			
溶解现象			
溶质溶解后溶液的温度/℃			

结论：_____

_____

_____

物质在溶解时，常常会使溶液的温度发生改变。这说明物质在溶解过程中通常伴随着热量的变化，有些物质在溶解时会出现吸热现象，有些物质在溶解时会出现放热现象。

三、乳化现象

🧪 **实验9-4** 在两支试管中各加入5 mL水和几滴植物油，观察试管中的液体是否分层。向其中一支试管中滴入4~5滴洗涤剂。用胶塞分别塞紧试管，振荡，观察现象。静置几分钟，再观察现象。把两支试管内的液体倒掉，并用水冲洗试管，比较这两支试管的内壁是否干净。

试管内加入的物质	现象			用水冲洗后的试管是否干净
	振荡前	振荡后	静置后	
水和植物油				
水和植物油及洗涤剂				

从实验中可以看到，用力振荡盛有水和植物油的试管后，得到乳状浑浊的液体。在这种液体里分散着不溶于水的、由许多分子集合而成的小液滴。这种小液滴分散到液体里形成的混合物叫做乳浊液。这种乳浊液不稳定，经过静置，植物油逐渐浮起来，又分为上下两层（如图9-6左）。

而在加入洗涤剂的试管中，情况则不同。虽然植物油并没有溶解在水中，但形成的乳浊液却能够比较稳定地存在，液体不再分为两层（如图9-6右）。这是为什么呢？

原来，洗涤剂能使植物油在水中分散成无数细小的液滴，而不聚集成大的油珠，从而使油和水不再分层，所形成的乳浊液稳定性增强。这种现象称为乳化。乳化后形成的细小液滴能随着水流动，因此，实验9-4加入洗涤剂的试管中的植物油能被水冲洗干净。衣服、餐具上的油污可以用加入洗涤剂的水洗掉，也是这个道理。

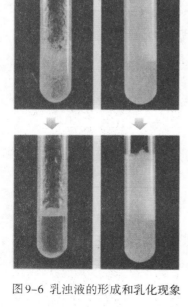

图9-6 乳浊液的形成和乳化现象

资料卡片

溶液、乳浊液和悬浊液

可溶性物质溶解在适量水中，可以得到溶液。振荡或搅拌植物油与水的混合物时，可以得到乳浊液。

如果把少量泥土放入水中搅拌时，也会得到一种浑浊的液体。这种液体里悬浮着很多不溶于水的固体小颗粒，使液体呈现浑浊状态，这种液体叫做悬浊液。悬浊液不稳定，静置一段时间后，其中的固体小颗粒会沉降下来（如图9-7）。

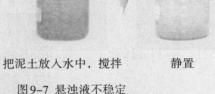

把泥土放入水中，搅拌　　　静置

图9-7 悬浊液不稳定

在溶液、乳浊液和悬浊液中，分散在液体中的粒子大小是不同的。在溶液中溶质粒子的直径小于1 nm；在悬浊液和乳浊液中，粒子的直径大于100 nm。

乳浊液和悬浊液也有广泛的用途。例如，用X射线检查肠胃病时，让病人服用的钡餐就是硫酸钡的悬浊液。粉刷墙壁用的乳胶漆是乳浊液。在农业上，为了合理使用农药，常把不溶于水的固体或液体农药配制成悬浊液或乳浊液，用来喷洒受病虫害的农作物。这样农药药液散失的少，附着在叶面上的多，药液喷洒均匀，既节省农药，又提高药效，而且使用还很方便。

学完本课题你应该知道

1. 一种或几种物质分散到另一种物质里，形成均一的、稳定的混合物，叫做溶液。能溶解其他物质的物质叫做溶剂；被溶解的物质叫做溶质。溶液具有广泛的用途。

2. 溶质在溶解的过程中，有的放出热量，有的吸收热量。

3. 小液滴分散到液体里形成的混合物叫做乳浊液。乳浊液不稳定，乳化能够增强乳浊液的稳定性。

调查与研究

围绕洗涤用品，选择自己感兴趣的课题进行调查与研究。

（提示：以下课题仅供参考：洗涤用品的变化；洗涤剂中含有的物质；洗涤用品是否会对水造成污染；如何选用对环境污染小的洗涤用品；等等。）

1. 选择题

（1）把少量下列物质分别放入水中，充分搅拌，可以得到溶液的是（ 　 ）。

    A.面粉　　　　B.氯化钠　　　　C.汽油　　　　D.蔗糖

（2）可以作为溶质的（ 　 ）。

    A.只有固体　　　　　　　　B.只有液体

    C.只有气体　　　　　　　　D.气体、液体、固体都可以

（3）下列说法中正确的是（ 　 ）。

    A.凡是均一的、稳定的液体一定是溶液

    B.溶液是均一的、稳定的混合物

    C.长期放置后不会分层的液体一定是溶液

    D.溶液一定是无色的，且溶剂一定是水

（4）在盛有水的烧杯中加入以下某种物质，形成溶液过程中，温度下降。这种物质可能是（ 　 ）。

    A.氯化钠　　　　B.硝酸铵　　　　C.氢氧化钠　　　　D.蔗糖

2. 在化学实验室里和日常生活中我们曾接触过许多溶液。指出下列溶液中的溶质和溶剂，完成下表。

溶液	溶质	溶剂
硫酸铜溶液		
碳酸钠溶液		
澄清石灰水		
医用酒精		
生理盐水		

3. 生理盐水是医疗上常用的一种溶液，合格的生理盐水是无色透明的。一瓶合格的生理盐水密封放置一段时间后，是否会出现浑浊现象？为什么？

4. 请你用所学的知识解释下列现象。

（1）在实验室里，常常将固体药品配制成溶液进行化学反应，以提高反应速率。

（2）用汽油或加了洗涤剂的水都能除去衣服上的油污。

5. 在许多情况下，人们希望能够较快地溶解某些固体物质。请以冰糖晶体溶于水为例，根据你的生活经验，说明哪些方法可以加快冰糖晶体在水中的溶解，并说明理由。

课题2
溶解度

我们已经知道，蔗糖或食盐很容易溶解在水里形成溶液。但是，它们能不能无限制地溶解在一定量的水中呢？

一、饱和溶液

实验9-5 在室温下，向盛有20 mL水的烧杯中加入5 g氯化钠，搅拌；等溶解后，再加5 g氯化钠，搅拌，观察现象。然后再加入15 mL水，搅拌，观察现象。

操作	现象	结论
加入5 g氯化钠，搅拌		
再加5 g氯化钠，搅拌		
再加15 mL水，搅拌		

图9-8 氯化钠在水中的溶解

实验9-6 在室温下，向盛有20 mL水的烧杯中加入5 g硝酸钾，搅拌；等溶解后，再加5 g硝酸钾，搅拌，观察现象。当烧杯中硝酸钾固体有剩余而不再继续溶解时，加热烧杯一段时间，观察剩余固体有什么变化。然后再加入5 g硝酸钾，搅拌，观察现象。待溶液冷却后，又有什么现象发生？

图9-9 硝酸钾在水中的溶解

操作	现象	结论
加入5 g硝酸钾, 搅拌		
再加5 g硝酸钾, 搅拌		
加热		
再加5 g硝酸钾, 搅拌		
冷却		

在一定温度下, 向一定量溶剂里加入某种溶质, 当溶质不能继续溶解时, 所得到的溶液叫做这种溶质的饱和溶液; 还能继续溶解的溶液, 叫做这种溶质的不饱和溶液。

在实验9-5中, 当氯化钠能继续溶解时, 溶液是不饱和的; 当氯化钠固体不能继续溶解而有剩余时, 溶液就变成了饱和的。当再加入水, 剩余的氯化钠固体继续溶解, 溶液又从饱和变成不饱和。

在实验9-6中, 第二次加入的硝酸钾不能全部溶解, 但加热烧杯时, 剩余的硝酸钾固体继续溶解, 且再次加入的硝酸钾能全部溶解。这说明, 当温度升高时, 室温下的硝酸钾饱和溶液变成了较高温度下的不饱和溶液, 因而能继续溶解硝酸钾。

上述实验说明, 在增加溶剂或升高温度的情况下, 饱和溶液可以变成不饱和溶液。因此, 只有指明"在一定量溶剂里"和"在一定温度下", 溶液的"饱和"和"不饱和"才有确定的意义。

在实验9-6中还可以看到, 当热的硝酸钾溶液冷却以后, 烧杯底部出现了固体。这是因为在冷却过程中, 硝酸钾不饱和溶液变成了饱和溶液; 温度继续降低, 过多的硝酸钾会从溶液中以晶体的形式析出, 这一过程叫做结晶 (如图9-10)。

图9-10 冷却热的饱和溶液时, 硝酸钾晶体从溶液中析出

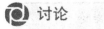

你知道用海水晒盐吗？上网查阅资料，了解用海水晒盐的过程，与同学交流。

除了冷却热的饱和溶液的方法以外，蒸发溶剂也是一种获得晶体的常用方法。例如，用海水晒盐，就是利用涨潮将海水引入贮水池，待海水澄清后，先引入蒸发池，经过风吹和日晒使水分部分蒸发；到一定程度后再引入到结晶池中，继续风吹和日晒，海水就会慢慢成为食盐的饱和溶液；再晒，食盐晶体就会逐渐从海水中析出，得到粗盐，同时得到含有大量化工原料的母液（叫做苦卤）。其大致过程如下：

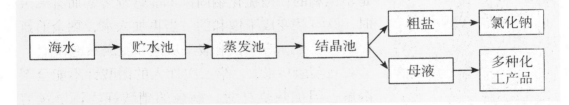

综上所述，在一般情况下，不饱和溶液与饱和溶液之间的转化关系及结晶的方法可以表示如下：

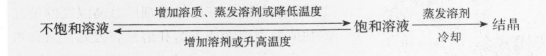

二、溶解度

通过上述实验，我们大致可以得出以下结论：在室温下，20 mL 水中所能溶解的氯化钠或硝酸钾的质量都有一个最大值，这个最大质量就是形成它的饱和溶液时所能溶解的质量。这说明，在一定温度下，在一定量溶剂里溶质的溶解量是有一定限度的。化学上用溶解度表示这种溶解的限度。

固体的溶解度表示在一定温度下，某固态物质在100 g溶剂里达到饱和状态时所溶解的质量。如果不指明溶剂，通常所说的溶解度是指物质在水里的溶解度。例如，在20 ℃时，100 g水里最多能溶解36 g氯化钠（这时溶液达到饱和状态），我们就说在20 ℃时，氯化钠在水里的溶解度是36 g。

用实验的方法可以测出物质在不同温度时的溶解度，如表9-1。

表9-1 几种物质在不同温度时的溶解度

温度/℃		0	10	20	30	40	50	60	70	80	90	100
溶解度/g	NaCl	35.7	35.8	36.0	36.3	36.6	37.0	37.3	37.8	38.4	39.0	39.8
	KCl	27.6	31.0	34.0	37.0	40.0	42.6	45.5	48.3	51.1	54.0	56.7
	NH_4Cl	29.4	33.3	37.2	41.4	45.8	50.4	55.2	60.2	65.6	71.3	77.3
	KNO_3	13.3	20.9	31.6	45.8	63.9	85.5	110	138	169	202	246

探究

溶解度曲线

1. 用纵坐标表示溶解度，横坐标表示温度，根据表9-1所提供的数据，在图9-11的坐标纸上绘制几种物质的溶解度随温度变化的曲线——溶解度曲线。

2. 从绘制的溶解度曲线上，查出上述几种物质在25 ℃和85 ℃时的溶解度。

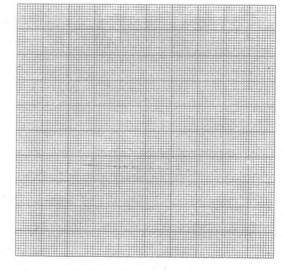

图9-11 绘制溶解度曲线

温度/℃		25	85
溶解度/g	NaCl		
	KCl		
	NH₄Cl		
	KNO₃		

3. 图9-12和图9-13给出了几种固体物质的溶解度曲线。请与你所绘制的溶解度曲线进行比较，并讨论：

（1）根据图9-12和图9-13分析，这些固体物质的溶解度随温度的变化有什么规律？举例说明。

（2）从溶解度曲线中，你还能获得哪些信息？

（3）溶解度数据表（如表9-1）和溶解度曲线都可以表示物质在不同温度时的溶解度，二者有什么区别？通过溶解度数据表和溶解度曲线所提供的不同信息，你能否由此体会到：不同的数据处理方法，作用不同。与同学交流。

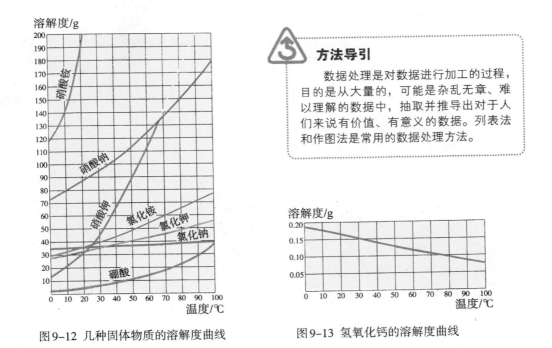

方法导引

数据处理是对数据进行加工的过程，目的是从大量的，可能是杂乱无章、难以理解的数据中，抽取并推导出对于人们来说有价值、有意义的数据。列表法和作图法是常用的数据处理方法。

图9-12 几种固体物质的溶解度曲线

图9-13 氢氧化钙的溶解度曲线

利用溶解度曲线，我们可以查出某物质在不同温度时的溶解度；可以比较不同物质在同一温度时溶解度的大小；可以比较不同物质的溶解度受温度变化影响的大小；可以看出物质的溶解度随温度变化的规律；等等。

从图9-12和图9-13可以看出，多数固体物质的溶解度随温度的升高而增大，如硝酸钾、氯化铵等；少数固体物质的溶解度受温度变化的影响很小，如氯化钠；极少数固体物质的溶解度随温度的升高而减小，如氢氧化钙。

由于称量气体的质量比较困难，所以气体的溶解度常用体积来表示。通常用的气体的溶解度，是指该气体的压强为101 kPa和一定温度时，在1体积水里溶解达到饱和状态时的气体体积[①]。如氮气的压强为101 kPa和温度为0 ℃时，1体积水里最多能溶解0.024体积的氮气，则在0 ℃时，氮气的溶解度为0.024。

⊙ 讨论

1. 打开汽水（或某些含有二氧化碳气体的饮料）瓶盖时，汽水会自动喷出来。这说明气体在水中的溶解度与什么有关？

2. 喝了汽水以后，常常会打嗝。这说明气体的溶解度还与什么有关？

图9-14 汽水中含有大量二氧化碳

⊙ 资料卡片

如何增加养鱼池水中的含氧量

海水、河水或湖水中，都溶解了一定量的氧气，但养鱼池中常常由于鱼多而缺氧，因此要设法增加水中的氧气含量。最常见的办法是在鱼池中设立几个水泵，把水喷向空中（或把水搅动起来），这样，可以增大空气与水的接触面积，增加水中氧气的溶解量。你见过类似的事例吗？在寒冷的冬季，北方养鱼池的冰面上总要打很多洞，你知道这是为什么吗？如果用鱼缸养鱼，又如何增加水中的含氧量呢？

[①] 非标准状况时的气体体积要换算成标准状况时的体积。

图9-15 把水喷向空中，可以增加养鱼池水中氧气的溶解量

图9-16 向鱼缸中通入空气，以增加水中的含氧量

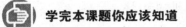 **学完本课题你应该知道**

1. 在一定温度下，向一定量溶剂里加入某种溶质，当溶质不能继续溶解时，所得的溶液叫做这种溶质的饱和溶液。

2. 固体的溶解度表示在一定温度下，某固态物质在100 g溶剂里达到饱和状态时所溶解的质量。

3. 气体的溶解度通常是指该气体的压强为101 kPa和一定温度时，溶解在1体积水里达到饱和状态时的气体体积。

4. 物质的溶解度随温度变化的曲线叫做溶解度曲线。利用溶解度曲线，可以获得许多有关物质溶解度的信息。

📋 **课外实验**

自制白糖晶体

在干净的玻璃杯中加入约 20 mL 开水，然后加入白糖，用筷子搅拌，直到有少量白糖不再溶解为止。将一根细线的一端浸入白糖溶液中，另一端留在玻璃杯外，用硬纸片盖住玻璃杯（防止灰尘进入溶液），静置。过4~5天或更长时间，拿掉硬纸片，观察溶液表面、玻璃杯壁和细线上白糖晶体的生成。

图9-17 白糖晶体的生成

1. 使接近饱和的硝酸钾溶液变为饱和溶液的三种方法分别是＿＿＿＿＿＿＿＿＿＿＿；
   ＿＿＿＿＿＿＿＿＿＿＿；＿＿＿＿＿＿＿＿＿＿＿。

2. 在60 ℃时，硝酸钾的溶解度是110 g。这句话的含义是＿＿＿＿＿＿＿＿＿＿＿
   ＿＿＿＿＿＿＿＿＿＿＿＿＿＿＿＿＿＿＿＿＿＿＿＿＿＿＿＿＿＿＿＿＿＿＿＿＿。

3. 查溶解度曲线，在表中空白处填上该物质的溶解度。

	温度/℃	15	50	75	100
溶解度/g	硝酸钠				
	氯化钾				
	氢氧化钙				

4. 甲、乙、丙三种固体物质的溶解度曲线如右图所示。
   回答下列问题：

   （1）a_3 ℃时，三种物质的溶解度由大到小的顺序
   是＿＿＿＿＿＿＿；

   （2）a_2 ℃时，＿＿＿＿＿＿和＿＿＿＿＿＿的溶解度大小相
   等；

   （3）三种物质中，＿＿＿＿＿＿的溶解度受温度的影
   响最大，＿＿＿＿＿＿的溶解度受温度的影响最
   小，＿＿＿＿＿＿的溶解度随温度的升高而减小。

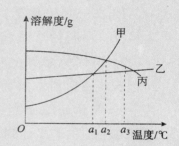

5. 甲、乙两种物质的溶解度曲线如右图所示。下列说法
   中正确的是（　　）。

   A. a_1 ℃时甲和乙的饱和溶液，升温到a_2 ℃时仍是饱
   和溶液

   B. 甲和乙的溶解度相等

   C. a_1 ℃时，甲和乙各30 g分别加入100 g水中，
   均形成饱和溶液

   D. a_2 ℃时，在100 g水中加入60 g甲，形成不饱和
   溶液

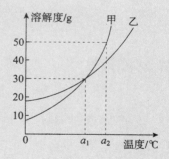

6. 下图是利用海水提取粗盐的过程：

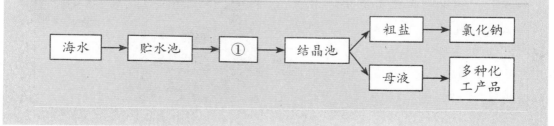

（1）图中①是_____池（填"蒸发"或"冷却"）。

（2）根据海水晒盐的原理，下列说法中正确的是（　　）。

    A. 海水进入贮水池，海水的成分基本不变

    B. 在①中，海水中氯化钠的质量逐渐增加

    C. 在①中，海水中水的质量逐渐减少

    D. 析出晶体后的母液是氯化钠的不饱和溶液

7. 为什么汗水带有咸味？被汗水浸湿的衣服晾干后，常出现白色的斑迹。这是为什么？

8. 现有一瓶蒸馏水和一瓶稀氯化钾溶液，可用什么简单的办法把它们鉴别开？（注意：在实验室里，任何时候都不能尝溶液的味道。）

9. 加热冷水，当温度尚未达到沸点时，为什么水中常有气泡冒出？天气闷热时，鱼塘里的鱼为什么总是接近水面游动？

课题3
溶液的浓度

我们都有这样的生活经验：在两杯等量的水中分别加入1勺糖和2勺糖时，完全溶解后两杯糖水的甜度是不同的，通俗地说就是这两杯糖水的浓稀不同。那么，在化学中如何定量地表示溶液的浓稀呢？

实验9-7 在室温下，向三个小烧杯中各加入20 mL[①]水，然后分别加入0.1 g、0.5 g、2 g无水硫酸铜，振荡，使硫酸铜全部溶解，比较三种硫酸铜溶液的颜色。在这三种溶液中，哪种溶液最浓？哪种溶液最稀？你判断的根据是什么？

图9-18 三种浓稀不同的硫酸铜溶液

烧杯编号	溶液颜色比较	溶剂质量/g	溶质质量/g	溶液质量/g	溶质的质量分数
1					
2					
3					

对于有色溶液来说，根据颜色的深浅可以判断溶液是浓还是稀。将溶液分为浓溶液和稀溶液，这种分法比较粗略，不能准确地表明一定量的溶液里究竟含有多少溶质。在实际应用中，常常要准确知道一定量的溶液里所含溶质的量，即溶液的浓度。例如，在施用农药时，就应较准确地知道一定量的药液里所含农药的量。如果药液过浓，会毒害农作物；如果药液过稀，又不能有效地

———————————
① 1 mL水的质量约为1 g。

杀虫灭菌。因此，我们需要准确知道溶液的浓度。

表示溶液浓度的方法很多，这里主要介绍溶质的质量分数。

溶液中溶质的质量分数是溶质质量与溶液质量之比，可用下式进行计算：

$$溶质的质量分数 = \frac{溶质质量}{溶液质量} \times 100\%$$

练一练

在实验9-7中，三种硫酸铜溶液中溶质的质量分数各是多少？把计算结果填在表中。

实验9-8 在室温下，根据下表规定的质量配制氯化钠溶液，观察现象（能否全部溶解），并计算溶液中溶质的质量分数（水的密度可看做1 g/cm³）。

溶质质量/g	溶剂（水）质量/g	现象	溶液中溶质的质量分数
10	90		
20	80		

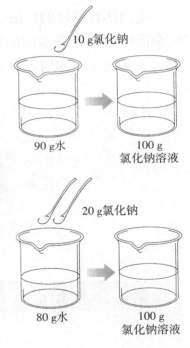

图9-19 配制两种质量分数不同的氯化钠溶液

讨论

已知20 ℃时，氯化钠的溶解度是36 g。有人说："20 ℃时氯化钠饱和溶液中溶质的质量分数为36%。"这种说法对吗？为什么？

【例题1】在农业生产上，常需要用质量分数为16%的氯化钠溶液选种。现要配制150 kg这种溶液，需要氯化钠和水的质量各是多少？

【解】

$$溶质的质量分数 = \frac{溶质质量}{溶液质量} \times 100\%$$

溶质质量＝溶液质量 × 溶质的质量分数

          ＝ 150 kg × 16%

          ＝ 24 kg

溶剂质量＝溶液质量 – 溶质质量

          ＝150 kg － 24 kg

          ＝ 126 kg

答：配制 150 kg 质量分数为 16% 的氯化钠溶液，需 24 kg 氯化钠和 126 kg 水。

【例题 2】化学实验室现有质量分数为 98% 的浓硫酸，但在实验中常需要用较稀的硫酸。要把 50 g 上述浓硫酸稀释为质量分数为 20% 的硫酸，需要水的质量是多少？

【分析】溶液稀释前后，溶质的质量不变。

【解】设：稀释后溶液的质量为 x。

$$50 \text{ g} \times 98\% = x \times 20\%$$

$$x = \frac{50 \text{ g} \times 98\%}{20\%}$$

$$= 245 \text{ g}$$

需要水的质量 ＝ 245 g － 50 g ＝ 195 g

答：要把 50 g 质量分数为 98% 的浓硫酸稀释为质量分数为 20% 的硫酸，需要水 195 g。

资料卡片

体积分数

除质量分数以外，人们有时也用体积分数来表示溶液的浓度。例如，用作消毒剂的医用酒精中乙醇的体积分数为 75%，就是指每 100 体积的医用酒精中含 75 体积的乙醇。你还能举出其他用体积分数来表示浓度的例子吗？

学完本课题你应该知道

溶液中溶质的质量分数是溶质质量与溶液质量之比：

$$溶质的质量分数 = \frac{溶质质量}{溶液质量} \times 100\%$$

可利用上式进行质量分数的有关计算，并根据需要配制一定质量分数的溶液。

自制汽水

在约500 mL的饮料瓶中加入2勺白糖和适量果汁，加入约1.5 g小苏打(碳酸氢钠)，注入凉开水，再加入约1.5 g柠檬酸，立即旋紧瓶盖，摇匀，放入冰箱。半小时后，你就可以喝到清凉甘甜的汽水了。(注意：自制汽水时应使用食品级的碳酸氢钠和柠檬酸。)

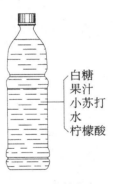

图9-20 自制汽水

练习与应用

1. 在20 ℃时，将40 g硝酸钾固体加入100 g水中，充分搅拌后，仍有8.4 g硝酸钾固体未溶解。请填写下列空白：
   (1) 所得溶液是20 ℃时硝酸钾的_____溶液(填"饱和"或"不饱和")；
   (2) 20 ℃时硝酸钾的溶解度为_____；
   (3) 所得溶液中硝酸钾的质量分数为_____。
2. 某温度时，蒸干35 g氯化钾溶液，得到7 g氯化钾，求该溶液中溶质的质量分数。
3. 把100 g质量分数为98%的浓硫酸稀释成10%的稀硫酸，需要水的质量是多少？
4. 配制500 mL质量分数为10%的氢氧化钠溶液(密度为1.1 g/cm³)，需要氢氧化钠和水的质量各是多少？
5. 100 g某硫酸恰好与13 g锌完全起反应。试计算这种硫酸中溶质的质量分数。
6. 73 g质量分数为20%的盐酸与足量大理石反应，生成二氧化碳的质量是多少？这些二氧化碳的体积(标准状况)是多少？(在标准状况下，二氧化碳的密度为1.977 g/L。)
7. 某食品加工厂生产的酱油中氯化钠的质量分数为15%~18%，该厂日产酱油15 t。试计算该厂每月(按30天计)消耗氯化钠的质量。
8. 某注射用药液的配制方法如下：
   (1) 把1.0 g药品溶于水配制成4.0 mL溶液a；
   (2) 取0.1 mL溶液a，加水稀释至1.0 mL，得溶液b；
   (3) 取0.1 mL溶液b，加水稀释至1.0 mL，得溶液c；
   (4) 取0.2 mL溶液c，加水稀释至1.0 mL，得溶液d。
   由于在整个配制过程中药液很稀，其密度可近似看做1 g/cm³。试求：
   (1) 最终得到的药液(溶液d)中溶质的质量分数；
   (2) 1.0 g该药品可配制溶液d的体积是多少？

单元小结

一、主要内容

1. 溶液

（1）溶液:＿＿＿＿＿＿＿＿＿＿＿＿＿＿＿＿＿＿＿＿＿＿＿

（2）溶质:＿＿＿＿＿＿＿＿＿＿＿＿＿＿＿＿＿＿＿＿＿＿＿

（3）溶剂:＿＿＿＿＿＿＿＿＿＿＿＿＿＿＿＿＿＿＿＿＿＿＿

（4）饱和溶液:＿＿＿＿＿＿＿＿＿＿＿＿＿＿＿＿＿＿＿＿＿;

不饱和溶液:＿＿＿＿＿＿＿＿＿＿＿＿＿＿＿＿＿＿＿＿＿＿＿

2. 溶解度

（1）固体溶解度:＿＿＿＿＿＿＿＿＿＿＿＿＿＿＿＿＿＿＿＿

＿＿＿＿＿＿＿＿＿＿＿＿＿＿＿＿＿＿＿＿＿＿＿＿＿＿＿＿＿

（2）固体溶解度随温度变化的规律:＿＿＿＿＿＿＿＿＿＿＿＿＿

＿＿＿＿＿＿＿＿＿＿＿＿＿＿＿＿＿＿＿＿＿＿＿＿＿＿＿＿＿

3. 溶液中溶质的质量分数

溶质的质量分数＝

＿＿＿＿＿＿＿＿＿＿＿＿＿＿＿＿＿＿＿＿＿＿＿＿＿＿＿

二、相互关系

1. 主要概念之间的关系

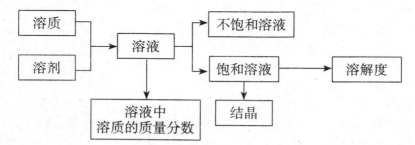

2. 不饱和溶液与饱和溶液之间的转化关系及结晶的方法（一般情况下）

不饱和溶液 $\begin{array}{c}()\\ \longleftrightarrow \\ ()\end{array}$ 饱和溶液 $\begin{array}{c}()\\ \longrightarrow \\ ()\end{array}$ 结晶

实验活动5 一定溶质质量分数的
氯化钠溶液的配制

【实验目的】

1. 练习配制一定溶质质量分数的溶液。

2. 加深对溶质的质量分数概念的理解。

【实验用品】

托盘天平、烧杯、玻璃棒、药匙、量筒、胶头滴管。

· 氯化钠、蒸馏水。

【实验步骤】

1. 配制质量分数为6%的氯化钠溶液。

（1）计算：配制50 g质量分数为 6%的氯化钠溶液所需氯化钠和水的质量分别为：氯化钠 _____ g；水 _____ g。

（2）称量：用托盘天平称量所需的氯化钠，放入烧杯中。

（3）量取：用量筒量取所需的水（水的密度可近似看做 1 g/cm³），倒入盛有氯化钠的烧杯中。

（4）溶解：用玻璃棒搅拌，使氯化钠溶解。

整个配制过程如下图所示。

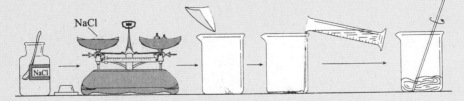

图9-21 配制一定溶质质量分数的氯化钠溶液

2. 配制质量分数为3%的氯化钠溶液。

用已配好的质量分数为6%的氯化钠溶液（密度约为1.04 g/cm³），配制50 g质量分数为 3%的氯化钠溶液。

> **? 想一想**
>
> 由浓溶液配制稀溶液时，计算的依据是什么？

（1）计算：配制50 g质量分数为 3%的氯化钠溶液所需质量分数为6%的氯化钠溶液和水的质量

分别为：6%的氯化钠溶液＿＿＿g（体积＿＿＿mL）；水＿＿＿g。

（2）量取：用量筒量取所需的氯化钠溶液和水，倒入烧杯中。

（3）混匀：用玻璃棒搅拌，使溶液混合均匀。

3. 把配制好的上述两种氯化钠溶液分别装入试剂瓶中，盖好瓶塞并贴上标签（标签中应包括药品名称和溶液中溶质的质量分数），放到试剂柜中。

【问题与交流】

1. 用托盘天平称量氯化钠时，有哪些注意事项？

2. 用量筒量取液体，读数时应注意什么？

3. 准确配制一定溶质质量分数的溶液，在实际应用中有什么重要意义？请举例说明。

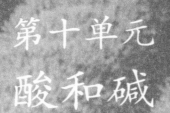

第十单元
酸和碱

课题1
常见的酸和碱

"酸"对你来说一定不陌生。调味用食醋有酸味，是因为食醋中含有醋酸；一些水果有酸味，是因为水果中含有各种果酸。"碱"对你来说可能不如酸那样熟悉，其实你也遇到过。石灰水中含有氢氧化钙，炉具清洁剂中含有氢氧化钠，它们都属于碱。酸和碱是两类不同的物质。

一、酸、碱与指示剂作用

我们曾经做过二氧化碳与水反应的实验，在这个实验中，反应生成的碳酸使紫色石蕊溶液变成了红色。石蕊溶液叫做酸碱指示剂，通常也简称指示剂。除了石蕊溶液，酚酞溶液也是常用的指示剂。

资料卡片

"酸""碱"的由来

"酸"一词从有酸味的酒而来。最早，在制酒的时候，有时把比较珍贵的酒放在窖中保存，在微生物的作用下，产生了酸。

"碱"一词在阿拉伯语中表示灰。人们将草木灰放到水中，利用灰汁洗浴、印染等。

实验10-1 将8支试管分成两组，每组的4支试管中分别加入少量白醋、苹果汁、石灰水和氢氧化钠溶液。向其中一组试管中加入紫色石蕊溶液，向另一组试管中加入无色酚酞溶液。观察现象。

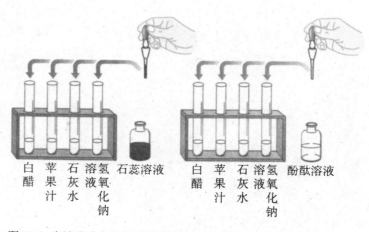

图10-1 向溶液中加入酸碱指示剂

	加入紫色石蕊溶液后的颜色变化	加入无色酚酞溶液后的颜色变化
白 醋		
苹果汁		
石灰水		
氢氧化钠溶液		

可以看到，酸能使紫色石蕊溶液变成红色，不能使无色酚酞溶液变色；碱能使紫色石蕊溶液变成蓝色，使无色酚酞溶液变成红色。酸和碱能与指示剂反应，而使指示剂显示不同的颜色。

 探究

自制酸碱指示剂

1. 阅读"资料卡片——酸碱指示剂的发现"，你从中能获得什么启示？与同学交流。

2. 自制酸碱指示剂。

（1）取几种植物的花瓣或果实（如牵牛花、月季花、紫甘蓝等），分别在研钵中捣烂，加入酒精（乙醇与水的体积比为1∶1）浸泡；

（2）用纱布将浸泡出的汁液过滤或挤出，得到指示剂；

（3）试验指示剂在下列4种溶液中的颜色变化。

（每小组可以自制1~2种指示剂）

指示剂（汁液）	在不同溶液中的颜色变化			
	白醋	石灰水	盐酸	氢氧化钠溶液

3. 交流实验结果，比较所制得的指示剂中，哪些在酸、碱溶液中的颜色变化明显？

图10-2 从紫罗兰花变色的现象中发现了酸碱指示剂

二、常见的酸

1. 几种常见的酸

🧪 **实验10-2**

（1）观察盐酸、硫酸的颜色和状态。

（2）分别打开盛有盐酸、硫酸的试剂瓶的瓶盖，观察现象并闻气味。

? 想一想

闻气味时应采用怎样的方法？

	盐酸（HCl）	硫酸（H_2SO_4）
颜色、状态		
打开试剂瓶后的现象		
气味		
密度	常用浓盐酸（37%～38%）1.19 g/cm³	常用浓硫酸（98%）1.84 g/cm³

盐酸、硫酸都属于酸，它们的用途非常广泛。例如：

	用　　　途
盐酸	重要化工产品。用于金属表面除锈、制造药物（如盐酸麻黄素、氯化锌）等；人体胃液中含有盐酸，可帮助消化
硫酸	重要化工原料。用于生产化肥、农药、火药、染料以及冶炼金属、精炼石油和金属除锈等 浓硫酸有吸水性，在实验室中常用它做干燥剂

在实验室和化工生产中常用的酸还有硝酸（HNO_3）、醋酸（CH_3COOH）等。另外，生活中常见的许多物质中也含有酸。

食醋中含有醋酸

柠檬、柑橘等水果中含有柠檬酸

汽车用铅蓄电池中含有硫酸

图10-3 生活中的一些物质含有酸

2. 浓硫酸的腐蚀性

实验10-3 将纸、小木棍、布放在玻璃片上做下列实验。

实　　验	放置一会儿后的现象
用玻璃棒蘸浓硫酸在纸上写字	
用小木棍蘸少量浓硫酸	
将浓硫酸滴到一小块布上	

图10-4 浓硫酸有腐蚀性

浓硫酸有强烈的腐蚀性。它能夺取纸张、木材、布料、皮肤（都由含碳、氢、氧等元素的化合物组成）里的水分①，生成黑色的炭。所以，使用浓硫酸时应十分小心。

实验10-4② 将浓硫酸沿烧杯壁缓慢地注入盛有水的烧杯里，用玻璃棒不断搅拌，并用手轻轻触碰烧杯外壁，有什么感觉？

通过上面的实验可以将浓硫酸稀释，实验时是将浓硫酸缓慢注入水中，那么，能否将水注入浓硫酸中呢？

如果将水注入浓硫酸，由于水的密度较小，水会浮在浓硫酸上面，溶解时放出的热能使水立刻沸腾，使硫酸液滴向四周飞溅，这是非常危险的！

图10-5 浓硫酸稀释的正确操作　　图10-6 浓硫酸稀释的错误操作

如果不慎将浓硫酸沾到皮肤或衣服上，应立即用大量水冲洗，然后再涂上3%~5%的碳酸氢钠溶液。

---

① 严格地说，浓硫酸能将这些物质中的氢、氧元素按水的组成比脱去，这种作用通常叫做脱水作用。
② 实验10-4由教师演示。

3. 酸的化学性质

💫 探究

酸的化学性质

（1）如图10-7所示，在白色点滴板上进行实验，并观察现象。

	滴加紫色石蕊溶液	滴加无色酚酞溶液
稀盐酸		
稀硫酸		

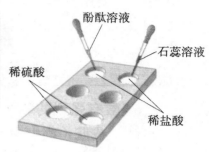

图10-7 酸与指示剂作用

（2）回忆第八单元所学的几种金属分别与稀盐酸或稀硫酸的反应，写出化学方程式。

	与稀盐酸反应	与稀硫酸反应
镁		
锌		
铁		

讨论：上面反应的生成物有什么共同之处？

（3）在盛有稀盐酸和稀硫酸的试管里分别放入一根生锈(铁锈的主要成分是Fe_2O_3)的铁钉，过一会儿取出铁钉，用水洗净，铁钉表面和溶液颜色有什么变化？

	现　象	化学方程式
铁锈＋稀盐酸		$Fe_2O_3 + 6HCl = 2FeCl_3 + 3H_2O$
铁锈＋稀硫酸		$Fe_2O_3 + 3H_2SO_4 = Fe_2(SO_4)_3 + 3H_2O$

讨论：

①上面反应的生成物有什么共同之处？

②利用上面的反应可以清除铁制品表面的锈，除锈时能否将铁制品长时间浸在酸中？为什么？

（4）根据以上实验和讨论，试归纳出盐酸、硫酸等酸有哪些相似的化学性质。

三、常见的碱

1. 几种常见的碱

氢氧化钠是一种常见的碱，俗名叫苛性钠、火碱或烧碱。氢氧化钠有强烈的腐蚀性，如果不慎沾到皮肤上，要用大量的水冲洗，再涂上硼酸溶液。

🔬 实验10-5 用镊子夹取3小块氢氧化钠分别进行实验（切勿用手拿）。

实验	现象	分析
观察氢氧化钠的颜色和状态		
将氢氧化钠放在表面皿上，放置一会儿		
将氢氧化钠放入盛有少量水的试管里，并用手轻轻触碰试管外壁		

氢氧化钠曝露在空气中容易吸收水分，表面潮湿并逐渐溶解，这种现象叫做潮解。因此，氢氧化钠可用作某些气体的干燥剂。

氢氧化钠是一种重要的化工原料，广泛应用于肥皂、石油、造纸、纺织和印染等工业。氢氧化钠能与油脂反应，在生活中可用来去除油污，如炉具清洁剂中含有氢氧化钠，就是利用这一反应原理。

🔬 实验10-6 取一小药匙氢氧化钙，观察它的颜色和状态，然后放入小烧杯中，加入约30 mL水，用玻璃棒搅拌，观察氢氧化钙在水中的溶解情况。然后放置，使上层液体澄清。向澄清的溶液中通入少量二氧化碳，观察现象。

	现象
颜色、状态	
在水中的溶解情况	
向澄清溶液中通入CO_2	

氢氧化钙也是一种常见的碱，俗称熟石灰或消石灰。氢氧化钙是白色粉末状物质，微溶于水，其

图10-8 树木上涂刷石灰浆

水溶液俗称石灰水；当石灰水中存在较多未溶解的熟石灰时，就称为石灰乳或石灰浆。氢氧化钙可由生石灰（CaO)与水反应得到：

$$CaO+H_2O = Ca(OH)_2$$

氢氧化钙在生产和生活中有广泛的用途。建筑上用熟石灰与沙子混合来砌砖，用石灰浆粉刷墙壁；在树木上涂刷含有硫黄粉等的石灰浆，可保护树木，防止冻伤，并防止害虫生卵；农业上可用石灰乳与硫酸铜等配制成具有杀菌作用的波尔多液作为农药使用；熟石灰还可用来改良酸性土壤；等等。

除了氢氧化钠、氢氧化钙外，常见的碱还有氢氧化钾（KOH）、氨水（$NH_3 \cdot H_2O$）等。

2. 碱的化学性质

 探究

碱的化学性质

（1）你还记得紫色石蕊溶液和酚酞溶液遇到氢氧化钠溶液和氢氧化钙溶液显示什么颜色吗？

（2）①回忆检验二氧化碳的反应，写出化学方程式：＿＿＿＿＿＿＿＿＿。

氢氧化钙能与空气中的二氧化碳反应，生成坚硬的碳酸钙。前面提到的用熟石灰与沙子混合来砌砖，用石灰浆粉刷墙壁等用途，都是利用氢氧化钙的这一性质。

②氢氧化钠在空气中不仅吸收水分，还会发生下列反应：

$$2NaOH + CO_2 = Na_2CO_3 + H_2O$$

所以，氢氧化钠必须密封保存。

讨论：上面两个反应有什么共同之处？三氧化硫与碱的反应与上面的两个反应类似，试写出三氧化硫与氢氧化钠反应的化学方程式：＿＿＿＿＿＿＿＿＿。

（3）根据以上实验和讨论，试归纳出氢氧化钠、氢氧化钙等碱有哪些相似的化学性质。

通过实验和讨论我们知道，盐酸、硫酸等酸有一些相似的化学性质，而氢氧化钠、氢氧化钙等碱也有一些相似的化学性质。这是为什么呢？

实验10-7 如图10-9所示，分别试验盐酸、硫酸、氢氧化钠溶液、氢氧化钙溶液、蒸馏水和乙醇的导电性（可以将小灯泡换成发光二极管进行实验）。

图10-9 试验物质的导电性

可以看到，蒸馏水和乙醇不导电，而盐酸、硫酸、氢氧化钠溶液和氢氧化钙溶液却能导电。这说明，在盐酸、硫酸、氢氧化钠溶液和氢氧化钙溶液中存在带电的粒子。实际上，HCl在水中会解离出 H^+ 和 Cl^-，H_2SO_4 在水中会解离出 H^+ 和 SO_4^{2-}；NaOH在水中会解离出 Na^+ 和 OH^-，$Ca(OH)_2$ 在水中会解离出 Ca^{2+} 和 OH^-。

通过研究和分析可知，像盐酸、硫酸这样的酸在水溶液中都能解离出 H^+ 和酸根离子，即在不同的酸溶液中都含有 H^+，所以，酸有一些相似的性质。同样，像氢氧化钠、氢氧化钙这样的碱，在水溶液中都能解离出金属离子和 OH^-，即在不同的碱溶液中都含有 OH^-，所以，碱也有一些相似的性质。

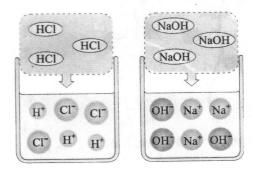

图10-10 HCl和NaOH在水中解离出离子

 **学完本课题你应该知道**

1. 酸碱指示剂与酸溶液或碱溶液作用显示不同的颜色。例如，紫色石蕊溶液遇酸溶液变成红色，遇碱溶液变成蓝色；无色酚酞溶液遇酸溶液不变色，遇碱溶液变成红色。

2. 酸有一些相似的化学性质。例如：

(1) 酸能使酸碱指示剂显示不同的颜色；

(2) 酸能与多种活泼金属反应，生成氢气；

(3) 酸能与某些金属氧化物反应，生成水。

3. 碱有一些相似的化学性质。例如：

(1) 碱能使酸碱指示剂显示不同的颜色；

(2) 碱能与某些非金属氧化物反应，生成水。

4. 酸溶液中都含有H^+，碱溶液中都含有OH^-。所以，酸和碱分别都有相似的化学性质。

5. 酸和碱有重要的用途。

6. 酸和碱都有腐蚀性，使用时一定要注意安全。

白醋　　　石灰水

图10-11　酸或碱溶液能改变花的颜色

图10-12　自制的"叶脉书签"

💡 课外实验

1. 鲜花变色

将两朵红色（或紫色）的鲜花分别插入白醋的稀溶液和石灰水中，注意每天观察鲜花并更换溶液。几天后鲜花有什么变化？

2. 制作"叶脉书签"

（1）选择外形完整、大小合适、具有网状叶脉的树叶。

（2）用水将树叶刷洗干净，放在约10%的氢氧化钠溶液中煮沸。当叶肉呈现黄色后取出树叶，用水将树叶上的碱液洗净。（使用氢氧化钠时要注意安全！）

（3）将叶子平铺在瓷砖或玻璃板上，用试管刷或软牙刷轻轻刷去叶肉。将剩下的叶脉放在水中轻轻清洗，稍稍晾干后，夹在书中压平。

1. 填空题

(1) 生活中的一些物质中含有酸和碱, 如食醋中含有_____, 柠檬中含有_____, 除锈剂中含有_____; 石灰水中含有_____, 炉具清洁剂中含有_____。

(2) 固体氢氧化钠曝露在空气中, 容易_____而使表面潮湿并逐渐溶解, 这种现象叫做_____; 同时吸收空气中的_____而变质, 生成_____, 因此, 氢氧化钠固体必须_____保存。

2. 选择题

(1) 厕所用清洁剂中含有盐酸, 如果不慎洒到大理石地面上, 会发出嘶嘶声, 并有气体产生。这种气体是 (　　)。

　　A. 二氧化硫　　　　　B. 二氧化碳　　　　C. 氢气　　　　D. 氧气

(2) 下列关于氢氧化钠的描述中错误的是 (　　)。

　　A. 易溶于水, 溶解时放出大量的热

　　B. 对皮肤有强烈的腐蚀作用

　　C. 水溶液能使石蕊溶液变红

　　D. 能去除油污, 可作炉具清洁剂

3. 怎样鉴别石灰水和氢氧化钠溶液?

4. 在某些食品的包装袋内, 有一个装有白色颗粒状固体的小纸袋, 上面写着"干燥剂, 主要成分为生石灰"(如右图)。为什么生石灰能作干燥剂? 如果将小纸袋拿出来放在空气中, 经过一段时间后, 会发现纸袋内的白色颗粒黏在一起成为块状。这是为什么? 试写出有关反应的化学方程式。

5. 用石灰浆粉刷墙壁, 干燥后墙面就变硬了。这是为什么? 请你用化学原理解释这一现象, 并用化学方程式说明。

6. 某工厂利用废铁屑与废硫酸反应制取硫酸亚铁。现有废硫酸 9.8 t (H_2SO_4 的质量分数为 20%), 与足量的废铁屑反应, 可生产 $FeSO_4$ 的质量是多少?

课题2
酸和碱的中和反应

一、中和反应

酸有相似的化学性质，碱也有相似的化学性质，那么，酸与碱能否发生反应呢？

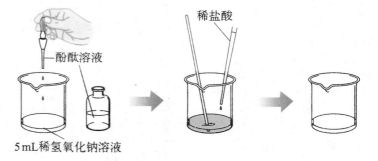

图 10-13 在氢氧化钠溶液中滴加稀盐酸

实验 10-8 如图 10-13 所示，在烧杯中加入约 5 mL 稀氢氧化钠溶液，滴入几滴酚酞溶液。用滴管慢慢滴入稀盐酸，并不断搅拌溶液，至溶液颜色恰好变成无色为止。

在上面的实验中，发生了如下的反应，生成了氯化钠和水：

$$NaOH + HCl == NaCl + H_2O$$

实际上，其他的酸与碱也能发生类似的反应。例如：

$$Ca(OH)_2 + 2HCl == CaCl_2 + 2H_2O$$
氯化钙

$$2NaOH + H_2SO_4 == Na_2SO_4 + 2H_2O$$
硫酸钠

可以发现，上述反应中生成的氯化钠、氯化钙和硫酸钠都是由金属离子和酸根离子构成的，我们

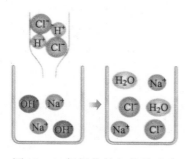

图 10-14 氢氧化钠与盐酸反应示意图

把这样的化合物叫做盐。盐在水溶液中能解离出金属离子和酸根离子。

　　酸与碱作用生成盐和水的反应，叫做中和反应。

二、中和反应在实际中的应用

　　中和反应在日常生活和工农业生产中有广泛的应用。

　　在农业生产中，农作物生长对于土壤的酸碱性有一定的要求。根据土壤情况，可以利用中和反应，在土壤中加入酸性或碱性物质，调节土壤的酸碱性，以利于农作物生长。例如，近年来由于空气污染形成酸雨，导致一些地方的土壤酸性增强，不利于农作物生长，于是人们将适量的熟石灰加入土壤，以中和其酸性。

图10-15　在酸性土壤中加入熟石灰

　　工厂生产过程中的污水，需进行一系列的处理。例如，硫酸厂的污水中含有硫酸等物质，可以用熟石灰进行中和处理；印染厂的废水呈碱性，可加入硫酸进行中和。

　　人的胃液里含有适量盐酸，可以帮助消化。但是如果饮食过量时，胃会分泌大量胃酸，造成胃部不适以致消化不良。在这种情况下，可以遵医嘱服用某些含有碱性物质的药物，以中和过多的胃酸。

　　人被有些蚊虫叮咬后，蚊虫在人的皮肤内分泌出蚁酸，使叮咬处很快肿成大包而痛痒。如果涂一些含有碱性物质的溶液，就可减轻痛痒。

🔘 讨论

　　根据你的生活经验或查阅资料，举出利用中和反应的实例。

三、溶液酸碱度的表示法——pH

　　我们知道，酸具有酸性，碱具有碱性。其实，还有许多物质具有酸性或碱性。利用酸碱指示剂可以检验溶液的酸碱性。在生活、生产和科学研究中，往往还需要精确地知道溶液的酸碱性强弱程度，即溶液的酸碱度。那么，怎样测定和表示溶液的酸碱度呢？

溶液的酸碱度常用 pH 来表示，pH 的范围通常为 0~14。测定 pH 最简便的方法是使用 pH 试纸。

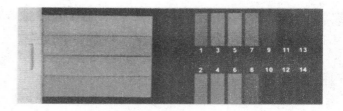

图 10-16　一种 pH 试纸和比色卡

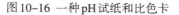

🔺 **实验 10-9**　在白瓷板或玻璃片上放一小片 pH 试纸，用玻璃棒蘸取溶液滴到 pH 试纸上，把试纸显示的颜色与标准比色卡比较，读出该溶液的 pH。

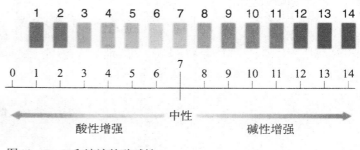

图 10-17　pH 和溶液的酸碱性

	pH	酸碱性
稀盐酸		
稀硫酸		
稀氢氧化钠溶液		
氯化钠溶液		

酸性溶液的 pH < 7；
碱性溶液的 pH > 7；
中性溶液的 pH = 7。

🔵 **资料卡片**

pH 计

pH 计又叫酸度计，是用来精确测定溶液 pH 的仪器。pH 计有不同的型号，在精度和外观等方面有所不同。

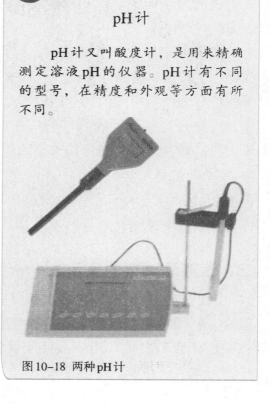

图 10-18　两种 pH 计

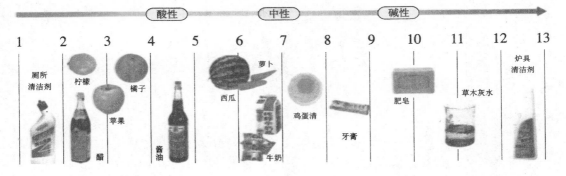

实验10-10 测定生活中一些物质的pH（可根据实际情况选择生活中的一些物质进行实验）。

	pH	酸碱性		pH	酸碱性
橘汁			汽水		
糖水			自来水		
牛奶			唾液		
番茄汁			草木灰水		
肥皂水			洗洁精		
苹果汁			白醋		

图10-19 身边一些物质的pH

了解溶液的酸碱性，对于生活、生产以及人类的生命活动具有重要的意义。

在化工生产中，许多反应都必须在一定pH的溶液里才能进行；在农业生产中，农作物一般适宜在pH=7或接近7的土壤中生长；在pH＜4的酸性土壤或pH＞8的碱性土壤中，一般不适于种植。调节土壤的pH是改良土壤的方法之一。

某些工厂排放的酸性气体未经处理而排放到空气中，可能导致降雨的酸性增强（正常雨水的pH≈5.6），我们把pH＜5.6的降雨称为酸雨。酸雨对农作物以及一些建筑等不利，随时监测雨水的pH，可以了解空气的污染情况，以便采取必要的措施。

健康人的体液必须维持在一定的酸碱度范围内，如胃液的pH在0.9~1.5；如果出现异常，则可能导致疾病。测定人体内或排出的液体的pH，可以帮助人们了解身体的健康状况。

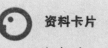

资料卡片

人体内的一些液体和排泄物的正常pH范围

血浆	7.35~7.45
唾液	6.6~7.1
胃液	0.9~1.5
乳汁	6.6~7.6
胆汁	7.1~7.3
胰液	7.5~8.0
尿液	4.7~8.4

探究

洗发剂和护发剂的酸碱性

头发的主要成分是蛋白质，容易受碱性溶液的侵蚀。

选择几种平常使用的洗发用品(洗发剂、护发剂或洗护合一的洗发液)，测一测它们的pH。

根据实验及所学知识，讨论：

1. 一般情况下，我们使用的洗发用品是酸性的还是碱性的？

2. 有的洗发用品分为洗发剂（洗发香波）和护发剂(护发素)。洗发时，在用过洗发剂后再使用护发剂，这样对头发有保护作用。你能解释这是为什么吗？

3. 从清洁效果和保护头发的角度考虑，你认为怎样选择洗发用品比较好。为什么？

学完本课题你应该知道

1. 酸与碱能发生中和反应，生成盐和水。酸碱中和反应在生活和生产中有广泛的应用。

2. 盐是在水溶液中能解离出金属离子和酸根离子的化合物。

3. 溶液的酸碱度可用 pH 表示，用 pH 试纸可以测定溶液的酸碱度。

pH ＜ 7，溶液为酸性；

pH ＝ 7，溶液为中性；

pH ＞ 7，溶液为碱性。

4. 了解溶液的酸碱性对于生活、生产以及人类的生命活动具有重要意义。

调查与研究

测定最近一段时间本地区雨水的 pH，绘制时间 –pH 关系图。根据雨水的 pH 及其变化情况，判断本地区是否已经或可能出现酸雨。如果已经或可能出现酸雨，请分析原因，并提出防治的合理建议。

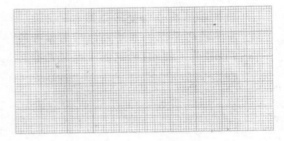

图 10-20 绘制时间 –pH 关系图

练习与应用

1. 填空题

（1）实验室中有 A、B 两种溶液，经测定，A 溶液 pH=4.5，B 溶液 pH=10.2。则 A 溶液呈_____性，能使紫色石蕊溶液变_____色；B 溶液呈_____性，能使无色酚酞溶液变_____色。

（2）测定 pH 最简单的方法是使用_____。测定时，用_____蘸取待测溶液，滴在_____上，然后再与_____对照，得出该溶液的 pH。

（3）下列方法可以解决生活中的一些问题：

① 服用含氢氧化铝〔$Al(OH)_3$〕的药物可以治疗胃酸过多症，反应的化学方程式为_____。

② 热水瓶用久后，瓶胆内壁常附着一层水垢〔主要成分是 $CaCO_3$ 和 $Mg(OH)_2$〕，可以用_____来洗涤。写出其与 $Mg(OH)_2$ 反应的化学方程式：_____。

③ 实验室中含有盐酸的废水直接倒入下水道会造成铸铁管道腐蚀，所以，需将废液处理后再排放。你的处理方法是_____。

以上三个问题的解决方法应用的共同原理是：_____与_____发生_____反应。

2. 一些食物的近似pH如下：

食物	葡萄汁	苹果汁	牛奶	鸡蛋清
pH	3.5～4.5	2.9～3.3	6.3～6.6	7.6～8.0

下列说法中不正确的是（　　　）。

A. 鸡蛋清和牛奶显碱性

B. 苹果汁和葡萄汁显酸性

C. 苹果汁比葡萄汁的酸性强

D. 胃酸过多的人应少饮葡萄汁和苹果汁

3. 某小型造纸厂向河中非法排放了大量碱性废液。请你根据所学的知识，设计两种检测碱性废液和受污染河水的方法，并试着提出治理的措施。

4. 某学校化学课外活动小组的同学开展了下列实验活动：取刚降到地面的雨水水样，用pH计（测pH的仪器）每隔几分钟测一次pH，其数据如下表所示：

测定时刻	5:05	5:10	5:15	5:20	5:25	5:30	5:35
pH	4.95	4.94	4.94	4.88	4.86	4.85	4.85

（1）所降雨水是否为酸雨？在测定期间，雨水的酸性是增强还是减弱？

（2）经调查，这一地区有一家硫酸厂（生产过程中产生SO_2）和一家电镀厂，这些工厂使用的燃料主要是煤。另外，这一地区的生活燃料也主要是煤，还有液化石油气。试分析造成这一地区酸雨的主要原因，你认为应采取什么措施。

5. 某工厂化验室用15%的氢氧化钠溶液洗涤一定量石油产品中的残余硫酸，共消耗氢氧化钠溶液40 g，洗涤后的溶液呈中性。这一定量石油产品中含H_2SO_4的质量是多少？

单元小结

一、酸和碱

1. 盐酸、硫酸属于酸，酸在水溶液中能解离出 H^+ 和酸根离子。

$$酸 \longrightarrow H^+ + 酸根离子$$

2. 氢氧化钠、氢氧化钙属于碱，碱在水溶液中能解离出金属离子和 OH^-。

$$碱 \longrightarrow 金属离子 + OH^-$$

3. 酸和碱在生产和生活中有广泛的用途。

二、酸和碱的化学性质

1. 酸和碱都能与酸碱指示剂反应。指示剂遇酸或碱的溶液显示不同的颜色。

	显示的颜色	
	遇酸溶液	遇碱溶液
石蕊溶液		
酚酞溶液		

2. 酸能与多种活泼金属反应，生成盐和氢气。例如：

	与稀盐酸反应的化学方程式	与稀硫酸反应的化学方程式
Mg		
Zn		
Fe		

3. 酸能与某些金属氧化物反应，生成盐和水。例如：

	化学方程式
$HCl + Fe_2O_3$	
$H_2SO_4 + Fe_2O_3$	

4. 碱能与某些非金属氧化物反应，生成盐和水。例如：

	化学方程式
$NaOH + CO_2$	
$Ca(OH)_2 + CO_2$	
$NaOH + SO_3$	

5. 酸与碱能发生中和反应，生成盐和水。例如：

	化学方程式
$HCl + NaOH$	
$H_2SO_4 + Ca(OH)_2$	

6. 盐在水溶液中能解离出金属离子和酸根离子。

三、溶液酸碱度的表示法——pH

溶液的酸碱度可用pH表示，范围通常为0~14。用pH试纸可以测定溶液的酸碱度。

pH___7，溶液显酸性；

pH___7，溶液显中性；

pH___7，溶液显碱性。

实验活动6 酸、碱的化学性质

【实验目的】

1. 加深对酸和碱的主要性质的认识。
2. 通过实验解释生活中的一些现象。

⚠️ **注意**

酸和碱有腐蚀性，实验时应注意安全！

【实验用品】

试管、药匙、蒸发皿、玻璃棒。

稀盐酸、稀硫酸、稀氢氧化钠溶液、氢氧化钙溶液、硫酸铜溶液、氢氧化钙粉末、石蕊溶液、酚酞溶液、pH试纸、生锈的铁钉。

【实验步骤】

1. 参考下图进行实验，比较酸和碱与指示剂的作用。

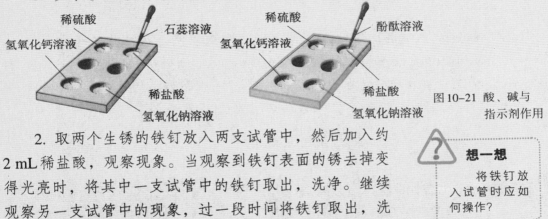

图10-21 酸、碱与指示剂作用

2. 取两个生锈的铁钉放入两支试管中，然后加入约2 mL稀盐酸，观察现象。当观察到铁钉表面的锈去掉变得光亮时，将其中一支试管中的铁钉取出，洗净。继续观察另一支试管中的现象，过一段时间将铁钉取出，洗净。比较两支铁钉。

❓ **想一想**

将铁钉放入试管时应如何操作？

3. 在试管中加入约2 mL硫酸铜溶液，然后滴入几滴氢氧化钠溶液，观察现象。然后再向试管中加入稀盐酸，观察现象。

4. 在试管中加入约1 mL氢氧化钠溶液，滴入几滴酚酞溶液。然后边用滴管慢慢滴入稀盐酸，边不断振荡试管，至溶液颜色恰好变成无色为止。取该无色溶液约1 mL，置于蒸发皿中加热，使液体蒸干，观察现象。

5. 向两支试管中各加入相同量的氢氧化钙粉末（用药匙的柄把一端挑一点），然后各加入1 mL水，振荡；再各滴入1~2滴酚酞溶液，观察现象。继续向其中一支试管中加入约1 mL水，振荡；向另一支试管加入约1 mL稀盐酸，振荡；比较两支试管中的现象。

【问题与交流】通过实验步骤5，可以验证氢氧化钙的哪些性质？

实验活动7 溶液酸碱性的检验

【实验目的】

1. 初步学会用酸碱指示剂检验溶液的酸碱性。
2. 初步学会用pH试纸测定溶液的酸碱度。

【实验用品】

烧杯、试管、研钵、玻璃棒、纱布。

蒸馏水、酒精、酚酞溶液、石蕊溶液、pH试纸、植物的花瓣或果实、土壤样品。

你还需要的实验室用品：_____

你还需要的生活用品：_____

【实验步骤】

1. 自制酸碱指示剂：自己选择植物的花瓣或果实，在研钵中捣烂，加入酒精浸泡；用纱布将浸泡出的汁液过滤或挤出。

2. 选择实验室或生活中的几种溶液，进行下列实验：

（1）分别用酚酞溶液和石蕊溶液检验溶液的酸碱性；

（2）用pH试纸测定溶液的酸碱度；

（3）试验自制的指示剂在溶液中颜色的变化。

选择的溶液	加入石蕊溶液后的颜色变化	加入酚酞溶液后的颜色变化	溶液的酸碱性	pH	加入自制指示剂后的颜色变化

3. 在校园或农田里取少量土壤样品。将土壤样品与蒸馏水按1∶5的质量比在烧杯中混合，充分搅拌后静置。用pH试纸测澄清液体的酸碱度。

【问题与交流】

1. 你自制的指示剂检验溶液酸碱性的效果如何？了解其他同学自制的指示剂的检验效果，哪种植物的花瓣或果实制成的指示剂检验效果好？

2. 归纳自制的指示剂在酸、碱溶液中的颜色变化情况，与同学交流。

第十一单元
盐 化肥

课题1
生活中常见的盐

　　日常生活中所说的盐，通常指食盐（主要成分是NaCl）；而化学中的盐，不仅仅是指食盐，而是指一类组成里含有金属离子和酸根离子的化合物，如氯化钠、硫酸铜、碳酸钙等。我国曾发生过多次将工业用盐如亚硝酸钠($NaNO_2$)误作食盐用于烹调而引起的中毒事件。

　　除食盐外，生活中常见的碳酸钠（Na_2CO_3，俗称纯碱、苏打）、碳酸氢钠（$NaHCO_3$，俗称小苏打）、高锰酸钾（$KMnO_4$）等都属于盐；石灰石和大理石的主要成分碳酸钙($CaCO_3$)也属于盐。

一、氯化钠

　　氯化钠是重要的调味品，炒菜时如果不放食盐，菜将食之无味。氯化钠也是人的正常生理活动所必不可少的。人体内所含的氯化钠大部分以离子形式存在于体液中。钠离子对维持细胞内外正常的水分分布和促进细胞内外物质交换起主要作用；氯离子是胃液中的主要成分，具有促生盐酸、帮助消化和增进食欲的作用。人们每天都要摄入一些食盐来补充由于出汗、排尿等而排出的氯化钠，以满足人体的正常需要（每人每天约需3~5 g食盐）。但长期食用过多食盐不利于人体健康。

　　氯化钠的用途很多。例如，医疗上的生理盐水[1]是用氯化钠配制的；农业上可以用氯化钠溶液来选种；工业上可以氯化钠为原料来制取碳酸钠、氢氧化钠、氯气和盐酸等。此外，还可用食盐腌渍蔬菜、鱼、肉、蛋等，腌制成的食品不仅风味独特，还可延长保存时间。公路上的积雪也可以用氯化钠来消除，等等。

　　氯化钠在自然界中分布很广，除海水里含有大量氯化钠外，盐湖、盐井和盐矿也是氯化钠的来源。

---

[1] 100 mL生理盐水中含0.9 g医用氯化钠。

通过晒海水或煮盐井水、盐湖水等，可以蒸发除去水分，得到粗盐。粗盐中含有多种可溶性杂质（氯化镁、氯化钙等）和不溶性杂质（泥沙等）。粗盐通过溶解、沉淀、过滤、蒸发、结晶等处理，可以得到初步提纯。

图11-1 盐田

二、碳酸钠、碳酸氢钠和碳酸钙

在工业上，碳酸钠广泛用于玻璃、造纸、纺织和洗涤剂的生产等。天然存在的石灰石、大理石的主要成分是碳酸钙，它们都是重要的建筑材料，人民大会堂的许多柱子、天安门前的华表就是用大理石做的；碳酸钙还可用作补钙剂。碳酸氢钠是焙制糕点所用的发酵粉的主要成分之一；在医疗上，它是治疗胃酸过多症的一种药剂。

图11-2 大理石是重要的建筑材料

在学习二氧化碳的制法时，我们已经知道碳酸钙可以与盐酸反应：

$$CaCO_3 + 2HCl = CaCl_2 + H_2CO_3$$
$$H_2CO_3 = CO_2\uparrow + H_2O$$
$$CaCO_3 + 2HCl = CaCl_2 + CO_2\uparrow + H_2O$$

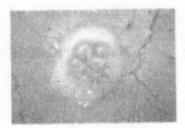

图11-3 盐酸腐蚀含碳酸钙的建材

讨论

比较碳酸钙与碳酸钠和碳酸氢钠的组成，推断碳酸钠和碳酸氢钠是否也能发生上述类似的反应。

实验11-1 向盛有0.5 g碳酸钠的试管里加入2 mL盐酸，迅速用带导管的橡胶塞塞紧试管口，并将导管另一端通入盛有澄清石灰水的试管中（如图11-4），观察现象。

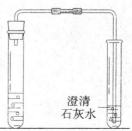

图11-4 碳酸钠与盐酸反应的装置

用碳酸氢钠代替碳酸钠进行上述实验，并分析现象。

	碳酸钠+盐酸	碳酸氢钠+盐酸
现象		
分析		

上述反应可以用化学方程式表示如下：

$$Na_2CO_3 + 2HCl = 2NaCl + CO_2\uparrow + H_2O$$
$$NaHCO_3 + HCl = NaCl + CO_2\uparrow + H_2O$$

实验11-2 向盛有少量碳酸钠溶液的试管里滴入澄清石灰水，观察并分析现象。

现象	
分析	

上述反应的化学方程式可以表示如下：

$$Na_2CO_3 + Ca(OH)_2 = CaCO_3\downarrow + 2NaOH$$

分析上述反应，它们都发生在溶液中，都是由两种化合物互相交换成分，生成另外两种化合物的反应，这样的反应叫做**复分解反应**。

三、复分解反应发生的条件

 实验11-3 向两支各盛有少量硫酸铜溶液的试管中分别滴加氢氧化钠溶液和氯化钡溶液,观察现象并填写下表。

	$CuSO_4$溶液+NaOH溶液	$CuSO_4$溶液+$BaCl_2$溶液
现象		
化学方程式		$CuSO_4 + BaCl_2 == BaSO_4\downarrow + CuCl_2$

讨论

1. 上述两个反应是否属于复分解反应?观察到的现象有什么共同之处?

2. 前面学过的酸碱中和反应是否也属于复分解反应?中和反应的生成物中,相同的生成物是什么?

3. 碳酸钠、碳酸钙等含碳酸根的盐溶液与盐酸发生复分解反应时,可观察到的共同现象是什么?

酸、碱、盐之间并不是都能发生复分解反应。只有当两种化合物互相交换成分,生成物中有沉淀或有气体或有水生成时,复分解反应才可以发生。

探究

某些酸、碱、盐之间是否发生反应

1. 根据复分解反应发生的条件,并利用书后附录 I 所提供的有关酸、碱、盐溶解性的信息,判断稀硫酸与下表中的四种化合物的溶液之间是否能发生反应。

	NaOH溶液	NaCl溶液	K_2CO_3溶液	$Ba(NO_3)_2$溶液
稀硫酸				
判断依据				

2. 设计实验证明你的判断。

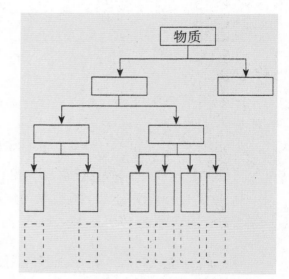

讨论

迄今为止，在初中化学中，我们已经学习了关于空气、氧气、水、碳、二氧化碳、氧化铜、铁、铝、硫酸、氢氧化钠和氯化钠等一系列物质的知识。为便于记忆和进一步深入学习，可以按组成和性质对学过的物质进行整理和分类，例如：

1. 根据物质组成是否单一，可以把物质分成几类？

2. 在纯净物中，根据组成元素的异同，可以把它们分成几类？

3. 在单质中，可以按性质的差异把它们分成几类？

4. 在化合物中，可以按组成的差异把它们分成几类？

将讨论的结果分别填入图11-5相应的实线方框内，并在其相邻的虚线方框内列举具体的物质（写化学式）。

方法导引

分类法在日常生活和科学研究中具有广泛的应用。运用分类法学习和研究多达几千万种的化学物质，能够收到事半功倍的效果。树状分类法（如图11-5）是一种常用的分类方法。

物质

图11-5 物质的分类

我国制碱工业的先驱——侯德榜

碳酸钠用途非常广泛。纯碱工业始创于18世纪，在很长一段时间内制碱技术把持在英、法、德、美等西方国家手中。1921年，正在美国留学的侯德榜先生为了发展我国的民族工业，应爱国实业家范旭东先生之邀毅然回国，潜心研究制碱技术，成功地摸索和改进了西方的制碱方法，发明了将制碱与制氨结合起来的联合制碱法（又称侯氏制碱法），大大提高了原料的利用率。侯德榜为纯碱和氮肥工业技术的发展作出了杰出的贡献。

图11-6 侯德榜（1890—1974）

石笋和钟乳石的形成

如果你参观过溶洞，一定会为溶洞中形态各异的石笋和钟乳石而惊叹。在赞叹大自然的鬼斧神工之余，你是否会想：这些石笋和钟乳石是怎样形成的？

溶洞都分布在石灰岩组成的山洞中，石灰岩的主要成分是碳酸钙，当遇到溶有二氧化碳的水时，会反应生成溶解性较大的碳酸氢钙：

图11-7 奇妙的石笋和钟乳石

$$CaCO_3 + CO_2 + H_2O = Ca(HCO_3)_2$$

溶有碳酸氢钙的水遇热或当压强突然变小时，溶解在水里的碳酸氢钙就会分解，重新生成碳酸钙沉积下来，同时放出二氧化碳：

$$Ca(HCO_3)_2 = CaCO_3\downarrow + CO_2\uparrow + H_2O$$

洞顶的水在慢慢向下渗漏时，水中的碳酸氢钙发生上述反应，有的沉积在洞顶，有的沉积在洞底。日久天长洞顶的形成钟乳石，洞底的形成石笋，当钟乳石与石笋相连时就形成了石柱。

学完本课题你应该知道

1. 氯化钠、碳酸钠、碳酸氢钠和碳酸钙等盐在生活和生产中都有广泛的用途。

2. 可以通过过滤、蒸发等方法分离混合物，例如使粗盐提纯。

3. 组成里含有碳酸根离子或碳酸氢根离子（HCO_3^-）的盐[①]都能与盐酸反应，生成二氧化碳气体。

4. 盐、酸、碱之间可以发生复分解反应，反应发生的条件是有沉淀或气体或水生成。

[①] 根据盐的组成里所含阴、阳离子的特点，可将盐分类并称为某盐。例如，组成里含有碳酸根离子的盐称为碳酸盐，含有钾离子的盐称为钾盐，含有铵根离子的盐称为铵盐，等等。

1. 解释下述现象。

   （1）鸡蛋壳的主要成分是碳酸钙。将一个新鲜的鸡蛋放在盛有足量稀盐酸的玻璃杯中，可观察到鸡蛋一边冒气泡一边沉到杯底，一会儿又慢慢上浮，到接近液面时又下沉。

   （2）馒头、面包等发面食品的一个特点是面团中有许多小孔（如右图），它们使发面食品松软可口。根据发酵粉（含碳酸氢钠和有机酸等）可与面粉、水混合直接制作发面食品的事实，说明碳酸氢钠在其中的作用。

2. 通过一个阶段的化学学习，我们已经认识了许多物质，它们有的是单质，有的是氧化物，有的是酸、碱、盐。请用化学式各举几个例子。

3. 下列反应中不属于复分解反应的是（　　　　）。

   A. $H_2SO_4 + Ca(OH)_2 == CaSO_4 + 2H_2O$

   B. $H_2SO_4 + BaCl_2 == BaSO_4\downarrow + 2HCl$

   C. $2HCl + Fe == FeCl_2 + H_2\uparrow$

   D. $2HCl + CaCO_3 == CaCl_2 + CO_2\uparrow + H_2O$

4. 某同学发现，上个月做实验用的氢氧化钠溶液忘记了盖瓶盖。对于该溶液是否变质，同学们提出了如下假设：

   假设一：该溶液没有变质；

   假设二：该溶液部分变质；

   假设三：该溶液全部变质。

   请设计实验方案，分别验证以上假设，简要叙述实验步骤和现象，并写出相关反应的化学方程式。

5. 亚硝酸钠是一种工业用盐，它有毒、有咸味，外形与食盐相似。人若误食会引起中毒，危害人体健康，甚至致人死亡。亚硝酸钠的水溶液呈碱性，食盐水溶液呈中性。如果让你来鉴别亚硝酸钠和食盐，你选用什么试剂，如何操作？

6. 氯化钠在生活、生产中的用途非常广泛。请通过查阅报纸、书刊、网络和访谈等，了解氯化钠的用途，并以"氯化钠的妙用"为题编制资料卡片。

课题2
化学肥料

　　植物生长需要养分，土壤所能提供的养分是有限的，因此要靠施肥来补充，施肥是使农业增产的重要手段。人类最初使用的肥料是人畜粪便、植物体等沤制的天然有机肥料。18世纪中期，随着人们对化学元素与植物生长关系的了解，出现了以化学和物理方法制成的含农作物生长所需营养元素的化学肥料（简称化肥）。之后，随着世界人口的增长，人类对农产品需求量增大，增施化肥逐渐成为农作物增产的最有力措施，施用化肥的增产作用占各增产因素总和的30%～60%。

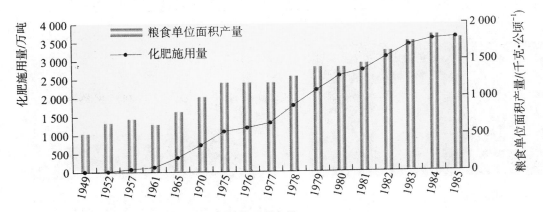

图11-8　1949~1985年化肥施用量及粮食单位面积产量
　　　　1950年之前，世界粮食产量增长主要依赖耕地面积的扩大；
　　　　1950年之后，世界粮食产量增长的主要动力是化学肥料

一、化肥简介

农作物所必需的营养元素有碳、氢、氧、氮、磷、钾、钙、镁等，其中氮、磷、钾需要量较大，因此氮肥、磷肥和钾肥是最主要的化学肥料。

表11-1　氮肥、磷肥和钾肥的化学成分及其主要作用

分类	化学成分	主要作用
氮肥	含氮化合物：尿素〔CO(NH$_2$)$_2$〕、氨水（NH$_3$·H$_2$O）、铵盐如碳酸氢铵（NH$_4$HCO$_3$）和氯化铵（NH$_4$Cl），以及硝酸盐如硝酸铵（NH$_4$NO$_3$）和硝酸钠（NaNO$_3$）等	氮是植物体内蛋白质、核酸和叶绿素的组成元素。氮肥有促进植物茎、叶生长茂盛，叶色浓绿，提高植物蛋白质含量的作用
磷肥	磷酸盐：磷矿粉〔Ca$_3$(PO$_4$)$_2$〕、钙镁磷肥(钙和镁的磷酸盐)、过磷酸钙〔Ca(H$_2$PO$_4$)$_2$（磷酸二氢钙）和CaSO$_4$的混合物〕等	磷是植物体内核酸、蛋白质和酶等多种重要化合物的组成元素，磷可以促进作物生长，还可增强作物的抗寒、抗旱能力
钾肥	硫酸钾（K$_2$SO$_4$）、氯化钾（KCl）等	钾在植物代谢活跃的器官和组织中的分布量较高，具有保证各种代谢过程的顺利进行、促进植物生长、增强抗病虫害和抗倒伏能力等功能

图11-9　缺氮的棉花

图11-10　缺磷小麦与正常小麦对比

有些化肥中同时含有两种或两种以上的营养元素，如磷铵〔NH$_4$H$_2$PO$_4$（磷酸二氢铵）和(NH$_4$)$_2$HPO$_4$（磷酸氢二铵）的混合物〕和硝酸钾（KNO$_3$）等，这样的化肥叫做复合

肥料。这类肥料的特点是能同时均匀地供给作物几种养分，充分发挥营养元素间的相互作用，有效成分高。还可以根据实际需要专门加工配制复合肥料，如铵磷钾是在磷酸铵基础上添加钾盐配制加工而成的。

图11-11 缺钾的大豆（左）、甘蓝（右）

化肥对提高农作物的产量具有重要作用。但是，由于化肥中常含有一些重金属元素、有毒有机物和放射性物质，施入土壤后形成潜在的土壤污染；另外化肥在施用过程中因某些成分的积累、流失或变化，可能引起土壤酸化、水域氮和磷含量升高、氮化物和硫化物气体（N_2O、NH_3、H_2S 等）排放等，造成土壤退化和水、大气环境的污染。因此，要根据土壤和气候条件、作物营养特点、化肥性质及其在土壤中的变化等，有针对性、均衡适度地施用化肥，提高施用效率，减少负面作用。

除了化学肥料之外，化学农药对农业的高产丰收也具有重要的作用。农药是保护和提高农业、林业、畜牧业、渔业生产的药剂（化肥除外），包括杀虫剂、杀菌剂、除草剂、杀鼠剂和植物生长调节剂等。全世界每年因病虫害而减少的谷物量为预计收成量的20%～40%，在今后相当一段时期内，施用农药仍是最重要的作物保护手段。但农药本身就是有毒物质，使用不当会带来对自然环境的污染和对人体健康的危害。因此，在施用农药时，要根据有害生物的发生、发展规律，对症下药、适时用药，并按照规定的施用量、深度、次数合理混用农药和交替使用不同类型的农药，以便充分发挥不同农药的特性，以最少量的农药获得最高的防治效果；同时又延缓或防止抗药性的产生，从而减少农药对农产品和环境的污染。

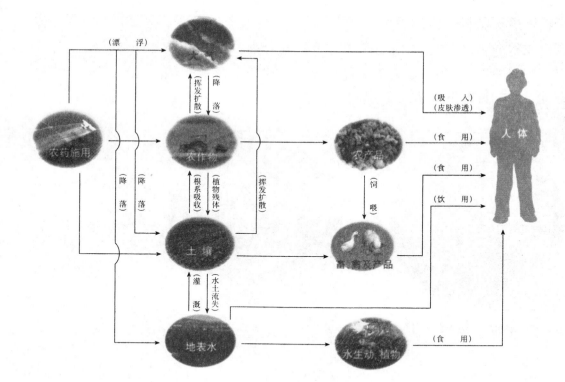

图11-12 农药在自然界中的转移

讨论

21世纪，世界粮食产量仍低于需求。联合国粮农组织的资料显示，全球仍有数亿饥民，每年有数万人被饿死，同时又有数千万新生儿诞生。

试综合人口数量、耕地面积、粮食产量和环境等因素，讨论化肥和农药的功与过。

二、化肥的简易鉴别

探究

初步区分常用氮肥、磷肥和钾肥的方法

1. 比较氮肥（碳酸氢铵、氯化铵）、磷肥（磷矿粉、过磷酸钙）和钾肥（硫酸钾、氯化钾）的外观、气味和在水中的溶解性，归纳它们的性质。

	氮 肥		磷 肥		钾 肥	
	碳酸氢铵	氯化铵	磷矿粉	过磷酸钙	硫酸钾	氯化钾
外观						
气味						
溶解性						

2. 取下列化肥各少量，分别加入少量熟石灰粉末，混合、研磨，能否嗅到气味？

	氮 肥		钾 肥	
	硫酸铵	氯化铵	硫酸钾	氯化钾
加熟石灰粉末研磨				

3. 根据上述实验，归纳初步区分氮肥、磷肥和钾肥的步骤和方法：

_____

_____

_____

_____

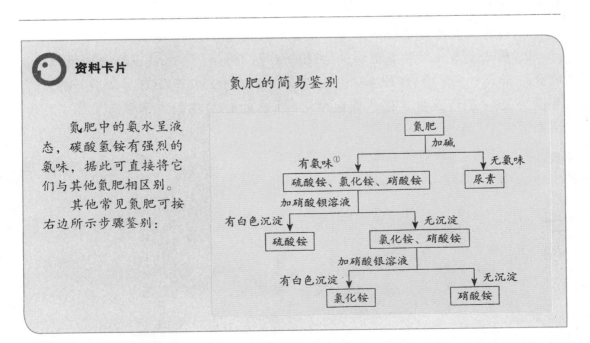

资料卡片

氮肥的简易鉴别

氮肥中的氨水呈液态，碳酸氢铵有强烈的氨味，据此可直接将它们与其他氮肥相区别。

其他常见氮肥可按右边所示步骤鉴别：

① 铵盐能与碱反应，放出氨气，据此可以检验铵态氮肥，同时注意这类氮肥不能与碱性物质混合。

1. 氮肥、磷肥和钾肥是重要的肥料。

2. 化肥和农药对提高农产品的产量有重要作用，但也会带来环境问题。要合理施用化肥和农药，提高它们的利用率，并注意减少污染。

3. 利用物理、化学性质的不同初步区分常见化肥的方法：

	氮肥	钾肥	磷肥
看外观	白色晶体		灰白色粉状
加水	全部溶于水		大多不溶于水或部分溶于水
加熟石灰	放出具有刺激性气味的氨气（尿素除外）	无具有刺激性气味的氨气放出	

调查与研究

通过互联网、相关书籍和报刊或咨询有关部门，就以下课题进行调查与研究，并与同学交流。

1. 历史上发生过的由病虫害引发的农业灾荒。

2. 历史上与化肥和农药有关的研究成果。例如，与合成氨有关的研究曾3次获得诺贝尔化学奖(1918年，1931年，2007年)；农药DDT杀虫效果的发现曾获得1948年诺贝尔生理学或医学奖(后来由于DDT的使用带来了许多环境问题而被禁用)。

3. 化肥、农药的现状及发展趋势。

练习与应用

1. 填空题

（1）草木灰是农家肥料，它的主要成分是一种含钾的盐。取一些草木灰加入盐酸中，生成的气体可使澄清石灰水变浑浊，由此可推断草木灰的主要成分可能是_____。

（2）硝酸钾、硫酸铵、磷酸铵中属于复合肥料的是_____和_____；它们所含的营养元素分别是_____和_____，_____和_____。

2. 选择题

(1) 下列有关农药的叙述中不正确的是（　　　）。

    A. 施用农药是最重要的作物保护手段

    B. 农药施用后，会通过农作物、农产品等发生转移

    C. 农药本身有毒，应该禁止施用农药

    D. 为了减小污染，应根据作物、虫害和农药的特点按规定合理施用农药

(2) 下列化肥中，从外观即可与其他化肥相区别的是（　　　）。

    A. 硫酸钾　　　B. 硝酸铵　　　C. 磷矿粉　　　D. 氯化钾

3. 根据下表中左栏所列化肥的性质，从下列使用注意事项中选择合适的项（可选多项），将其序号填入表的右栏中。

a. 储存和运输时要密封，不要受潮或曝晒；施用后要盖土或立即灌溉。

b. 不要与碱性物质混放或混用。

c. 不能与易燃物质混在一起；结块时，不要用铁锤砸碎。

d. 不宜长期施用。

	性质	使用注意事项
碳酸氢铵（碳铵）	易溶于水，受潮时在常温下即能分解，温度越高分解越快，遇碱时放出氨气 在土壤中不残留有害物质	
硝酸铵（硝铵）	易溶于水，受热易分解，遇碱时放出氨气，在高温或受猛烈撞击时易爆炸	
硫酸铵（硫铵）	易溶于水，吸湿性小，常温下稳定，遇碱时放出氨气 长期施用，会使土壤酸化、板结	
硫酸钾	易溶于水 长期施用，会使土壤酸化、板结	

4. 根据复分解反应发生的条件，并利用书后附录I所提供的信息，判断下列物质间能否发生复分解反应。如能发生反应，写出反应的化学方程式。

(1) 碳酸钠溶液和氯化钙溶液

(2) 氢氧化钾溶液和盐酸

(3) 氢氧化钠溶液和氯化钾溶液

(4) 碳酸钾溶液和盐酸

(5) 硫酸铜溶液和氯化钡溶液

5. 尿素是氮肥中最主要的一种，其含氮量高，在土壤中不残留任何有害物质，长期施用没有不良影响。试计算尿素中氮元素的质量分数。

单元小结

一、盐

1. 盐是自然界中广泛存在的一类化合物，它们的组成里_____

_____。

2. 盐能与许多物质发生化学反应，请将你所学过的有关盐的反应分类整理填入下表中：

	反应发生的条件	反应举例	反应类型
与金属反应			
与酸反应			
与碱反应			

3. 利用_____等操作可以分离除去粗盐中的不溶性杂质。

4. 判断酸、碱、盐溶液中两种化合物之间能发生复分解反应的依据是：反应物互相交换成分，生成的另外两种化合物中有一种是_____或_____或_____。

二、化肥和农药

化肥和农药的使用有利也有弊。

利：_____

_____

弊：_____

使用化肥和农药时应注意根据当地的实际情况，合理施用，以尽量少的化肥和农药投入，尽量小的对环境的影响来保持尽量高的农产品产量及保障食品品质。

实验活动8 粗盐中难溶性杂质的去除

【实验目的】

1. 体验固体混合物初步提纯的实验过程。
2. 学习蒸发操作技能，巩固溶解、过滤操作技能。

【实验用品】

烧杯、玻璃棒、蒸发皿、坩埚钳、酒精灯、漏斗、药匙、量筒（10 mL）、铁架台（带铁圈）、托盘天平、滤纸、火柴。

粗盐。

【实验步骤】

1. 溶解

用托盘天平称取 5.0 g 粗盐，用药匙将该粗盐逐渐加入盛有 10 mL 水的烧杯里，边加边用玻璃棒搅拌（起什么作用？），一直加到粗盐不再溶解为止。观察所得食盐水是否浑浊。

称量剩下的粗盐，计算 10 mL 水中约溶解了多少克粗盐。

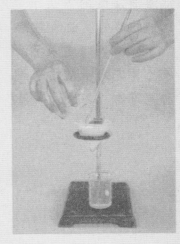

图11–13 过滤食盐水

称取粗盐 /g	剩余粗盐 /g	溶解粗盐 /g
5.0		

2. 过滤

如图 11–13 所示，过滤食盐水。仔细观察滤纸上剩余物及滤液的颜色。

3. 蒸发

把所得澄清滤液倒入蒸发皿。如图 11–14 所示，用酒精灯加热。

在加热过程中，用玻璃棒不断搅拌，防止因局部温度过高，造成液滴飞溅。当蒸发皿中出现较多

⚠️ **提示**

如滤液仍浑浊，应再过滤一次。

固体时，停止加热。利用蒸发皿的余热使滤液蒸干。观察蒸发皿中食盐的外观。

4. 计算产率

用玻璃棒把固体转移到纸上，称量后，回收到教师指定的容器中。将提纯后的氯化钠与粗盐作比较，并计算精盐的产率。

溶解粗盐 /g	精盐 /g	精盐产率 /%

【问题与交流】

1. 制取粗盐时，晒盐和煮盐的目的都是通过蒸发盐溶液中的水分使之浓缩。想一想：能否采用降低溶液温度的方法来达到同一目的？（提示：从氯化钠的溶解度曲线考虑。）

2. 本实验中采用的方法利用了氯化钠的哪些性质？考虑到粗盐的来源，你判断这样提纯的盐是否为纯净物，并设计实验验证你的判断。

图 11-14 蒸发食盐水

第十二单元
化学与生活

课题1
人类重要的营养物质

人类为了维持生命和健康，必须摄取食物。粮食、蔬菜、水果、肉类、豆制品等食物是我们日常营养的主要来源。各种食物看似千差万别，但从营养的角度看，其基本成分只有六种，分别是蛋白质、糖类、油脂、维生素、无机盐[①]和水，它们通常被称为六大基本营养素。

图12-1 丰富多彩的食物

🔘 讨论

根据图12-1和你的日常生活经验讨论，食物除了上面所列举的几类外，还有哪些种类？试着说一说它们的基本成分。

一、蛋白质

蛋白质是构成细胞的基本物质，是机体生长及修补受损组织的主要原料。动物肌肉、皮肤、毛发、蹄、角以及蛋清等的主要成分都是蛋白质，许多植物（如大豆、花生）的种子里也含有丰富的蛋白质。

---

① 无机盐也被称为矿物质。

蛋白质是由多种氨基酸（如甘氨酸、丙氨酸等）构成的极为复杂的化合物，相对分子质量从几万到几百万。蛋白质是重要的营养物质，成人每天需摄取60~70 g，处于生长发育期的青少年需要量更大。人体通过食物获得的蛋白质，在胃肠道里与水发生反应，生成氨基酸。一部分氨基酸再重新组成人体所需要的各种蛋白质，维持人体的生长发育和组织更新；另一部分氨基酸可被氧化，生成尿素、二氧化碳和水等排出体外，同时放出能量供人体活动的需要。每克蛋白质完全氧化放出约18 kJ的能量。

$$CH_3-CH-COOH$$
$$|$$
$$NH_2$$

图12-2 丙氨酸

机体中的蛋白质具有多种功能，如血液中的血红蛋白在吸入氧气和呼出二氧化碳的过程中起着载体的作用。血红蛋白是由蛋白质和血红素构成的。在肺部，血红蛋白中血红素的Fe^{2+}与氧结合成为氧合血红蛋白，随血液流到机体的各个组织器官，放出氧气，供体内氧化用。同时血红蛋白结合血液中的二氧化碳，携带到肺部呼出。人的呼吸作用就是这样反复进行的过程。

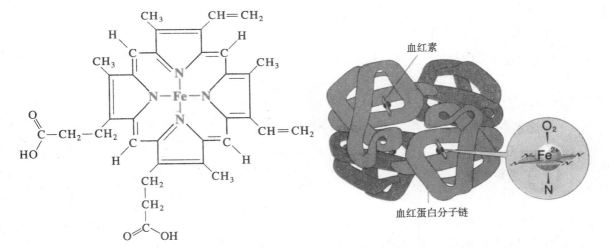

图12-3 血红素结构图

图12-4 氧合血红蛋白示意图

✐ 练一练

血红蛋白的相对分子质量为68 000，经测定其中铁的质量分数为0.335%，则每个血红蛋白分子中铁原子的个数为多少？

血红蛋白也能与一氧化碳结合，而且结合能力很强，大约是氧气的200~300倍，一旦结合便不容易分离，且不能再与氧气结合，人就会缺氧窒息死亡。这就是煤气中毒的原因。香烟的烟气中含有几百种有毒物质，其中就有一氧化碳。

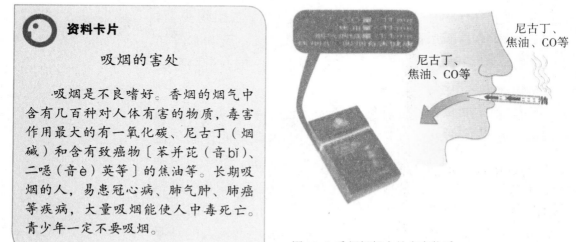

资料卡片

吸烟的害处

吸烟是不良嗜好。香烟的烟气中含有几百种对人体有害的物质，毒害作用最大的有一氧化碳、尼古丁（烟碱）和含有致癌物〔苯并芘（音bǐ）、二噁（音è）英等〕的焦油等。长期吸烟的人，易患冠心病、肺气肿、肺癌等疾病，大量吸烟能使人中毒死亡。青少年一定不要吸烟。

尼古丁、焦油、CO等

尼古丁、焦油、CO等

图12-5 香烟烟气中的有毒物质

有些物质如甲醛等会与蛋白质发生反应，破坏蛋白质的结构，使其变质，因此甲醛对人体健康有严重危害。但利用甲醛的这个性质，可用甲醛水溶液（福尔马林）浸泡动物标本，使标本能长期保存。

讨论

你的生活中哪里有可能存在甲醛污染？应该如何避免？与同学交流。

资料卡片

酶

酶也是一类重要的蛋白质，是生物催化剂，能催化生物体内的反应。一种酶只能催化一种或一类反应，而且一般是在体温和接近中性的条件下进行的。例如，人们消化吸收食物就是靠酶的催化作用完成的。当在口中咀嚼米饭和馒头时感到有甜味，这是因为唾液中含有淀粉酶，它能将食物中的部分淀粉催化水解为麦芽糖的缘故；余下的淀粉由小肠中的胰淀粉酶催化水解为麦芽糖；麦芽糖在肠液中麦芽糖酶的催化下，水解为人体可吸收的葡萄糖。

二、糖类

糖类是由C、H、O三种元素组成的化合物，是人类食物的重要成分。淀粉属于糖类，它主要存在于植物种子或块茎中，如稻、麦、玉米、马铃薯等。淀粉的化学式为$(C_6H_{10}O_5)_n$，随着n值的不同，相对分子质量从几万到几十万。食物淀粉在人体内经酶的催化作用，与水发生一系列反应，最终变成葡萄糖，葡萄糖的化学式为$C_6H_{12}O_6$。葡萄糖经过肠壁吸收进入血液成为血糖，为人体组织提供营养。

在人体组织里，葡萄糖在酶的催化作用下经缓慢氧化转变成二氧化碳和水，同时放出能量，供机体活动和维持恒定体温的需要。

图12-6 糖类食品

> **资料卡片**
>
> **纤维素**
>
> 纤维素是构成植物细胞的基础物质，它也属于糖类。棉花含纤维素高达90%以上。纤维素可被牛、羊、马等动物消化吸收，不能被人体消化，但它在人体消化过程中起着特殊的作用。因此应保证每天摄入一定量的蔬菜、水果和粗粮等含纤维素较多的食物。

$$C_6H_{12}O_6 + 6O_2 \xrightarrow{\text{酶}} 6CO_2 + 6H_2O$$

在上述反应中，每克葡萄糖放出约16 kJ的能量。在人类食物所供给的总能量中，有60%～70%来自糖类。

蔗糖是储藏在某些植物（如甘蔗、甜菜等）中的糖，它的化学式为$C_{12}H_{22}O_{11}$。日常生活中食用的白糖、冰糖和红糖的主要成分就是蔗糖，它是食品中常用的甜味剂。

三、油脂

油脂是重要的营养物质。常见的油脂有花生油、豆油、菜子油、牛油和奶油等。在常温下，植物油脂呈液态，称为油；动物油脂呈固态，称为脂肪，二者合称油脂。

每克油脂在人体内完全氧化时放出约39 kJ的能量，比糖类多一倍

图12-7 油脂类食品

以上，它是重要的供能物质。在正常情况下，人每日需摄入50~60 g油脂，它供给人体日需能量的20%~25%。

一般成人体内储存约占人体质量10%~20%的脂肪，它是维持生命活动的备用能源。当人进食量小、摄入食物的能量不足以支付机体消耗的能量时，就要消耗自身的脂肪来满足机体的需要，此时人就会消瘦。而当人体摄入过多的油脂后，容易引发肥胖和心脑血管疾病。

四、维生素

维生素有20多种，它们多数在人体内不能合成，需要从食物中摄取。维生素在人体内需要量很小，但它们可以起到调节新陈代谢、预防疾病、维持身体健康的重要作用。缺乏某种维生素会使人患病，如缺乏维生素A，会引起夜盲症；缺乏维生素C，会引起坏血病。蔬菜、水果、种子食物、动物肝脏、蛋类、牛奶、鱼类、鱼肝油等是人体获取维生素的主要来源。

资料卡片

黄曲霉毒素对人体的危害

大米、花生、面粉、玉米、薯干和豆类等，应储存在干燥通风的地方，因为它们在温度为30~38 ℃，相对湿度达到80%~85%以上时，容易发生霉变，滋生含有黄曲霉毒素的黄曲霉菌。黄曲霉毒素十分耐热，蒸煮不能将其破坏，只有加热到280 ℃以上才能破坏它。黄曲霉毒素能损害人的肝脏，诱发肝癌等疾病。因此，绝对不能食用霉变食物。

1. 基本营养素包括蛋白质、糖类、油脂、维生素、无机盐和水六大类。

2. 蛋白质是构成细胞的基本物质，是机体生长和修补受损组织的主要原料。

3. 糖类和油脂在人体内经氧化放出能量，为机体活动和维持恒定体温提供能量。

4. 维生素可以起到调节新陈代谢、预防疾病和维持身体健康的作用。

调查与研究

我们每天摄入的食物不仅要保证一定的数量，还要注意合理的搭配，以保证各种营养素的均衡摄入。"中国居民平衡膳食宝塔"为我们提供了合理选择食物的指南（如图12-8）。图中的数字指的是每天的摄入量。根据本课题学到的知识和你的日常生活经验，并参照图12-8，调查了解下列问题：

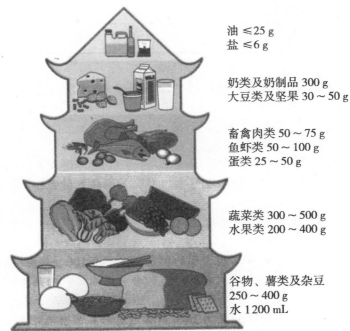

油 ≤25 g
盐 ≤6 g

奶类及奶制品 300 g
大豆类及坚果 30～50 g

畜禽肉类 50～75 g
鱼虾类 50～100 g
蛋类 25～50 g

蔬菜类 300～500 g
水果类 200～400 g

谷物、薯类及杂豆
250～400 g
水 1200 mL

图12-8 中国居民平衡膳食宝塔

1. 在六大类营养素中，除了水以外，我们每天需要量最大的营养素是哪一种？它的主要作用是什么？

2. 长期偏食和挑食为什么不利于身体健康？

3. 调查学校食堂或自己家庭一段时间的食谱，查阅并参考食物营养表，研究这些食谱营养搭配是否合理，有什么问题和建议？

1. 蛋白质是由多种_____构成的极为复杂的化合物，是重要的营养物质。血红蛋白与_____结合会导致煤气中毒。糖类是由_____三种元素组成的化合物，米和面中含有的糖类物质主要是_____，它在人体的消化系统中经_____的催化作用，最终变为_____（化学式为 $C_6H_{12}O_6$）。

2. 某食品包装袋上的说明如下：

商品名称	××饼干
配料	小麦粉、白砂糖、精炼植物油、鲜鸡蛋、奶油、食盐、膨松剂、食用香精
规格	400 g
储藏方法	存放于阴凉干爽处，避免阳光直射
保质期	270天
生产日期	××××年××月××日

（1）在这种饼干的配料中，富含蛋白质的是_____；富含油脂的是_____；富含糖类的是_____。葡萄糖在人体组织里在酶的催化作用下经缓慢氧化转变为_____，请写出这个变化的化学方程式：_____。

（2）食品配料表中的各种成分一般按照含量从高到低的顺序排列。若某同学准备用这种饼干作为午餐，你认为他摄入的营养素是否均衡？请说明理由：_____。

（3）过期的食品可能会出现哪些变化？根据该说明中的储藏方法，想一想为什么要这样做。

3. 某类奶粉中蛋白质含量的国家标准为每100 g奶粉中含蛋白质不少于18.5 g。其测定原理是通过测出样品中氮的含量而求出蛋白质的含量，已知氮在蛋白质中的平均含量为16%。某化学兴趣小组的同学在市场上买来一袋该类奶粉，并通过实验测出其中氮的含量为2%。请你通过计算帮助他们对该奶粉的蛋白质含量是否符合国家标准作出初步判断。

4. 1 kg人体脂肪可储存约32 200 kJ的能量，一般人每行走1 km，大约要消耗170 kJ的能量。假设这些能量全部来自脂肪，如果有人每天步行5 km，此人1年（以365天计）中因此而消耗的脂肪的质量大约是多少？

课题2
化学元素与人体健康

图 12-9 几种营养强化食品

讨论

1. 图 12-9 中的几种营养强化食品有哪些共同之处？你还能列出哪些类似的食品？

2. 讨论：人类为什么要生产营养强化食品？

我们在商场的货架上经常会看到标有"补钙""补铁""补锌""补碘"等字样的食品和保健品，可见有不少化学元素与我们的身体健康密切相关。元素周期表中有一百多种元素，哪些是我们必需的？哪些对健康有害？让我们在本课题的学习中一起寻找答案。

所有的生命都起源于自然，总是与外界环

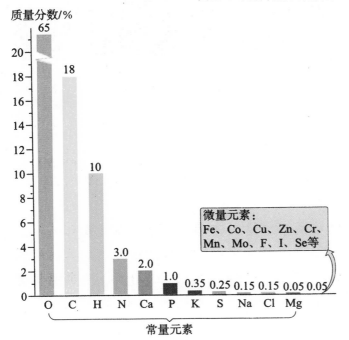

图 12-10 人体中元素的含量

境不断进行着物质和能量的交换。人类也不例外，人体中的50多种元素在自然界中都可以找到。人体中含量较多的元素有11种，它们约占人体质量的99.95％。在人体中含量超过0.01％的元素，称为常量元素；含量在0.01％以下的元素，称为微量元素。一些微量元素在人体中的含量虽然很小，却是维持正常生命活动所必需的。在人体中，含量较多的四种元素是氧、碳、氢、氮，其余的元素主要以无机盐的形式存在于水溶液中。它们有些是构成人体组织的重要材料；有些能够调节人体的新陈代谢，促进身体健康。

钙是人体内含量最高的金属元素，是构成人体的重要组分。成人体内约含钙1.2 kg，其中99％存在于骨骼和牙齿中，主要以羟基磷酸钙〔$Ca_{10}(PO_4)_6(OH)_2$〕晶体的形式存在，它使得骨骼和牙齿具有坚硬的结构支架。幼儿及青少年缺钙会患佝偻病和发育不良，老年人缺钙会发生骨质疏松，容易骨折。因此，人体每日必须摄入足够量的钙。未成年人正处于生长发育阶段，需要摄入比成年人更多的钙。奶、奶制品、豆类、虾皮等食物中含钙丰富，是日常饮食中钙的较好来源。因缺钙而导致骨质疏松、佝偻病等的患者应在医生的指导下服用钙片等补钙药品。

钠元素和钾元素对人体健康也有着重要的作用。人体内含钠80～120 g，其中一半以Na^+的形式存在于细胞外液中，而人体中的钾主要以K^+的形式存在于细胞内液中。细胞外液和细胞内液中的Na^+和K^+各自保持一定的浓度，对于维持人体内的水分和维持体液恒定的pH（如血浆的pH为7.35～7.45）起重要的作用，而这是人体维持正常生命活动的必要条件。

图12-11　运动饮料中含有钠、钾、钙等元素

🔘 讨论

运动员在剧烈运动、大量出汗之后，常会饮用一些含无机盐的运动饮料。为什么？

除了常量元素以外，不少微量元素也是人体必需的。必需元素摄入不足或摄入过量均不利于人体健康。表12-1列出了几种必需微量元素对人体的作用及14～18岁人群每天的适宜摄入量（或推荐摄入量）[1]。此外，一些微量元素是人体的非必需元素，如铝、钡（Ba）、钛（Ti）等；另一些则为有害元素，如汞（Hg）、铅（Pb）、镉（Cd）等。

---

[1] 选自中国营养学会2000年制定的《中国居民膳食营养素参考摄入量》。

表12-1 几种必需微量元素对人体的作用及14~18岁人群每天的适宜摄入量（或推荐摄入量）

元素	人体内含量	对人体的作用	适宜摄入量（或推荐摄入量）	摄入量过高、过低对人体健康的影响
铁	4~5 g	是血红蛋白的成分，能帮助氧气的运输	20~25 mg	缺铁会引起贫血
锌	2.5 g	影响人体发育	15.5~19 mg	缺锌会引起食欲不振，生长迟缓，发育不良
硒	14~21 mg	有防癌、抗癌作用	50 μg①	缺硒可能引起表皮角质化和癌症。如摄入量过高，会使人中毒
碘	25~50 mg	是甲状腺激素的重要成分	150 μg	缺碘会引起甲状腺肿大，幼儿缺碘会影响生长发育，造成思维迟钝。过量也会引起甲状腺肿大
氟	2.6 g	能防治龋齿	1.4 mg	缺氟易产生龋齿，过量会引起氟斑牙和氟骨病

资料卡片

几种元素的主要食物来源

人体中的无机盐主要是靠食物摄入的，表12-2列出了几种元素的主要食物来源。

表12-2 几种元素的主要食物来源

元素种类	主要食物来源
铁	肝脏、瘦肉、蛋、鱼、豆类、芹菜
锌	海产品、瘦肉、肝脏、奶类、豆类、小米
碘	海产品、加碘盐

某些地方的水土中缺乏一些人体必需的元素或者某种元素含量过高，都容易导致地方病的发生。如果人体所需的元素仅从食物和饮水中摄取还不足时，可通过食品添加剂②和保健药剂予以补充。如在食品中添加含钙、铁、锌、硒、锗的化合物，或制成补钙、补锌等的保健药剂，或制成加碘食盐，来增加对这些元素的摄入量，以保证人体健康。

---

① 1 μg = 10^{-6} g。

② 食品添加剂是用于改善食品品质、延长食品保存期、增加食品营养成分的一类化学合成的或天然的物质，包括甜味剂、鲜味剂、防腐剂、抗氧化剂、营养强化剂等。

讨论

　　人体缺少必需微量元素会得病，因此有人认为应尽可能多吃含有这些元素的营养补剂。你认为这种想法对吗？为什么？

学完本课题你应该知道

　　1. 人体由50多种元素组成，根据含量多少，可分为常量元素和微量元素。常量元素和一些微量元素是人体必需的，它们能够调节人体的新陈代谢，促进身体健康，有的还是构成人体组织的重要材料。

　　2. 对于人体必需元素，也要注意合理摄入，摄入不足或过量均不利于人体健康。

　　3. 防止有害元素对人体的侵害是人类健康生活的重要保证。

调查与研究

　　1. 调查市场上有哪些补钙、补锌等的保健药剂出售，查看它们的标签或说明书，了解它们的主要成分。

　　2. 以"痛痛病""水俣（音 yǔ）病"为关键词，上网查找这些公害是怎样产生的，思考如何避免有害元素对人体健康和环境产生影响。

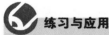 练习与应用

1. 根据你所知道的知识连线。

人体必需的元素	缺乏后对人体健康的影响	食物来源
铁	佝偻病，骨质疏松	加碘盐
钙	食欲不振，生长迟缓，发育不良	海产品、瘦肉
碘	贫血	牛奶、虾皮
锌	甲状腺肿大	肝脏、蛋

2. 人体摄入锌不足会引起多种疾病，缺锌者可在医生指导下通过服用葡萄糖酸锌口服液来补锌。已知葡萄糖酸锌的化学式为 $C_{12}H_{22}O_{14}Zn$。

(1) 葡萄糖酸锌是由_____种元素组成的，其中属于常量元素的是_____，属于微量元素的是_____。

(2) 葡萄糖酸锌的相对分子质量为_____，其中锌元素的质量分数为_____。现有一支 20 mL 的葡萄糖酸锌口服液，其中含葡萄糖酸锌 45 mg，那么这支口服液中锌的质量是_____mg。

3. 人体内铅含量过高危害很大，对儿童生长发育的影响更大。呼吸道、消化道和皮肤是铅进入人体的主要途径。通过查阅资料，举例说明哪些活动容易引起儿童铅中毒，进一步了解对人体有害的元素还有哪些，怎样才能避免这些有害元素对人体健康的危害。

4. 收集有关微量元素与人体健康关系的资料，并了解人体是如何摄取这些微量元素的。

课题3
有机合成材料

一、有机化合物

探究

认识有机化合物

1. 完成下表:

化合物	化学式	组成元素	相对分子质量的数值或大致范围
甲烷			
乙醇			
葡萄糖			
淀粉			
蛋白质			
硫酸			
氢氧化钠			
氯化钠			

2. 根据上表讨论:

(1)甲烷、乙醇、葡萄糖、淀粉和蛋白质的组成元素有什么共同点?

(2)甲烷、乙醇和葡萄糖的相对分子质量与淀粉和蛋白质的相对分子质量相比,有什么不同?

化合物主要有两大类:无机化合物和有机化合物(简称有机物)。有机化合物都含有碳元素,像甲烷、乙醇和葡萄糖等。而氯化钠、硫酸和氢氧化钠等不含碳元素,它们是无机化合物。少数含碳元素的化合物,如一氧化碳、二氧化碳和碳酸钙等具有无机化合物的特点,因此把它们看做无机化合物。

有机物除含有碳元素外,还可能含有氢、氧、氮、氯和磷等元素。在有机物中,碳原子不但可以与氢、氧、氮等原子直接结合,而且碳原子之间还可以互相连接,形成碳链或碳环。由于原子的排列方式不同,所表现出来的性质也就不同。因此,有机物的数目异常庞大。在已经发现的几千万种物质中,绝大多数是有机物。

有些有机物的相对分子质量比较小,如乙醇、葡萄糖等,属于有机小分子化合物。有些有机物的相对分子质量比较大,从几万到几十万,甚至高达几百万或更高,如淀粉、蛋白质等。通常称它们为有机高分子化合物,简称有机高分子。

二、有机合成材料

用有机高分子化合物制成的材料就是有机高分子材料。棉花、羊毛和天然橡胶等都属于天然有机高分子材料,而日常生活中用得最多的塑料、合成纤维和合成橡胶等则属于合成有机高分子材料,简称合成材料。

有机合成材料的出现是材料发展史上的一次重大突破。从此,人类摆脱了严重依赖天然材料的历史,在发展进程中大大前进了一步。合成材料与天然材

年产10万吨的合成纤维厂

年产10万吨的合成橡胶厂

产量相当于

产量相当于

约8万公顷棉田一年的产棉量　　约2 000万只绵羊一年的产毛量　　约15万公顷橡胶林一年的产胶量

图12-12 有机合成材料适合现代化大规模工业生产,产量受地域、气候、自然灾害的影响较小

料相比，在很多方面具有更为优良的性能。而且人们可以根据需要，合成出具有某些特殊性能的材料。从我们的日常生活到现代工业、农业、国防和科学技术等领域，都离不开合成材料。

由于有机高分子化合物大部分是由有机小分子化合物聚合而成的，所以也常被称为聚合物。例如，聚乙烯分子是由成千上万个乙烯分子聚合而成的高分子化合物（如图12-13）。当小分子连接构成高分子时，有的形成很长的链状，有的由链状结成网状（如图12-14）。

图12-13 聚乙烯分子模型

图12-14 高分子结构示意图

实验12-1 在一支试管中放入少量聚乙烯塑料碎片，用酒精灯缓缓加热，观察现象。等熔化后立即停止加热以防分解，待冷却固化后再加热，观察现象。

现象	

链状结构的高分子材料（如聚乙烯塑料）加热时熔化，冷却后变成固体，加热后又可以熔化，因而具有热塑性。这种高分子材料可以反复加工，多次使用，能制成薄膜、拉成丝或压制成所需要的各种形状，用于工业、农业和日常生活等。有些网状结构的高分子材料（如酚醛塑料，俗称电木；脲醛塑料，俗称电玉）一经加工成型，受热也不再熔化，因而具有热固性。

 讨论

结合塑料的热塑性和热固性讨论：装食品用的聚乙烯塑料袋应如何封口？电木插座破裂后能否热修补？为什么？

塑料是最常见的有机合成材料，具有密度小、耐腐蚀、易加工等优点。塑料的品种很多，用途各不相同（如图12-15）。使用较多的有聚乙烯塑料、聚氯乙烯塑料、酚醛塑料、脲醛塑料等。

聚乙烯塑料薄膜大棚

聚四氟乙烯作内衬的不粘锅

"水立方"使用了乙烯—四氟乙烯聚合物薄膜

电线外面的绝缘层是聚氯乙烯塑料

有机玻璃（聚甲基丙烯酸甲酯）制成的标牌

酚醛塑料制成的手柄具有较好的耐热性

图12-15 用途广泛的塑料制品

我们穿的衣服通常是由纤维织成的。棉花、羊毛、蚕丝等属于天然纤维，涤纶、锦纶（尼龙）和腈纶等属于合成纤维。合成纤维的强度高、弹性好、耐磨和耐化学腐蚀，但它的吸水性和透气性较差。因此，人们常将合成纤维与棉纤维或羊毛纤维混合纺织，使衣服穿起来既舒适又不易褶皱。

图12-16 棉花和羊毛的纤维都是天然纤维　　　　图12-17 合成纤维制品

 讨论

查看一些服装的标签，了解服装面料的纤维种类；根据服装标签上的说明，讨论不同纤维制成的服装在洗涤、熨烫时的注意事项。

认识服装的标签

当你选购衣服时，怎样知道服装面料的种类呢？看服装上的标签。服装标签一般包括服装的品名、号型、面料的纤维种类及含量等内容。如果服装面料是由一种纤维材料制成的，则用"纯×"或"100%×"来表示，如"纯棉""纯毛"或"100%棉""100%毛"；如果服装是由两种或两种以上的纤维制成的，标签上应注明每种纤维种类的含量，如"涤纶56% 棉44%"等。

图12-18 服装标签

橡胶最初是从橡胶树等植物中获取的。人们根据天然橡胶的分子组成和结构，用化学方法制得了合成橡胶。人们常用的合成橡胶有丁苯橡胶、顺丁橡胶和氯丁橡胶等。合成橡胶与天然橡胶相比，具有高弹性、绝缘性、耐油、耐高温和不易老化等性能，因而广泛应用于工农业、国防、交通及日常生活中。

图12-19 合成橡胶的用途

合成材料的应用与发展，大大方便了人类的生活。但是，合成材料废弃物的急剧增加也带来了环境问题，废弃塑料带来的"白色污染"尤为严重。这是因为大部分塑料在自然环境中很难降解①，长期堆积会破坏土壤，污染地下水，危害海洋生物的生存；如果焚烧含氯塑料会产生有刺激性气味的氯化氢等气体，从而对空气造成污染。要解决"白色污染"问题，应该从以下几个方面着手：

　　1. 减少使用不必要的塑料制品，如用布袋代替塑料袋等；

　　2. 重复使用某些塑料制品，如塑料袋、塑料盒等；

　　3. 使用一些新型的、可降解的塑料，如微生物降解塑料和光降解塑料等；

　　4. 回收各种废弃塑料。

| 初放时 | 1个月 | 2个月 | 2.5个月 | 3个月已降解 |

图12-20 可降解塑料的降解过程

　　回收废弃塑料是非常重要的，因为塑料回收不仅可以减少废弃塑料的数量，而且节约资源。但塑料的分类是回收和再利用的一大障碍，这是因为不同种类的塑料，其再利用的途径是不同的。为了解决这个问题，一些国家已经开始在塑料制品上印刷或模压所用材料种类的标志。表12-3是我国制定的塑料包装制品回收标志中的塑料名称、代码和对应的缩写代号，图12-21是塑料包装制品回收标志示例。

图12-21 我国制定的塑料包装制品回收标志示例

---

① 降解是指聚合物在自然环境中被微生物或光照分解为小分子化合物。

表12-3 塑料名称、代码和对应的缩写代号

塑料名称	聚酯	高密度聚乙烯	聚氯乙烯	低密度聚乙烯	聚丙烯	聚苯乙烯	其他
塑料代码	01	02	03	04	05	06	07
塑料缩写代号	PET	HDPE	PVC	LDPE	PP	PS	Others

讨论

以"使用塑料的利与弊"为题进行小组辩论。

参考论点：

● 塑料的制造成本较低，而且耐用、防水。

● 塑料容易被塑制成不同的形状。

● 有些塑料容易燃烧，燃烧时产生有害气体。

图12-22 关于"使用塑料的利与弊"的辩论

● 大部分塑料的抗腐蚀能力强，不与酸或碱发生反应。

● 大部分塑料不会腐烂，也不能被细菌分解，容易造成"白色污染"。

● 塑料一般不导热、不导电，是良好的绝缘体。

● 回收利用废弃塑料时，分类十分困难，而且经济上不合算。

● 塑料是由石油炼制的产品制成的，而石油资源是有限的。

● 某些材质（如聚氯乙烯）的塑料制品，使用不当会对人体健康造成危害。

图12-23 用高分子分离膜淡化海水

近年来，为了解决使用合成材料带来的环境问题，新型有机合成材料逐渐向对环境友好的方向发展。此外，为满足计算机、生物工程、海洋工程和航空航天工业等尖端技术发展的需要，人们还研制出了具有光、电、磁等特殊功能的合成材料。为了综合不同材料的优点，人们还将几种材料复合起来形成复合材料，如玻璃

钢、碳纤维复合材料等。这些新型材料在航空航天、建筑、机器人、仿生和医药等领域已显示出潜在的应用前景，它们的发展必将对人类的生活和社会的进步产生深远的影响。

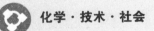

化学·技术·社会

复合材料

  传统材料在性能上具有一些难以克服的缺点。例如，钢铁的强度虽高，但是密度很大，而且不耐腐蚀、易生锈；玻璃和陶瓷耐腐蚀，但又质脆易碎；有机合成材料密度小、耐腐蚀，但强度不高，不耐高温。因此，人们将两种或两种以上的不同材料复合起来，使各种材料在性能上取长补短，制成了比原来单一材料的性能优越得多的复合材料。

  复合材料的使用历史可以追溯到很远，从远古开始一直到现在还在使用的稻草增强黏土，以及钢筋混凝土，都可看作是复合材料。复合材料的组成包括基体和增强材料两部分。基体主要有合成有机高分子材料、陶瓷、铝、镁及其他合金等，增强材料主要有玻璃纤维、碳纤维等。

图12-24 碳纤维复合材料的应用十分广泛

  由玻璃纤维和有机高分子材料复合而成的玻璃钢，其强度相当于钢材，而且密度小、耐腐蚀，被大量用作建筑材料、车船体材料等。由于玻璃钢不会阻挡电磁波通过，用它来做飞机、导弹的雷达罩，就像给武器戴上了一副防护眼镜，既不会阻挡雷达的"视线"，又能起到防护作用。碳纤维复合材料的密度小、强度高、耐热、耐疲劳，化学稳定性好。用它制作的球拍和鱼竿不仅轻便，而且弹性好。某种赛车车身的大部分结构也使用了碳纤维复合材料，其重量不到金属制的一半。碳纤维复合材料在航空航天、核能等尖端技术领域中的应用更是十分广泛。例如，某些新型飞机所使用的碳纤维复合材料已超过全机重量的一半，这样不仅使机体轻而坚固，而且节省燃油，增加航程。

1. 调查你周围的环境中"白色污染"的情况及形成的原因。用照片、漫画或板报的形式来宣传"白色污染"的危害，并提出治理建议，呼吁大家都来为减少"白色污染"而共同努力。

2. 阅读家用保鲜膜包装盒上的说明，比较不同保鲜膜所使用的材质。结合本课题所学的塑料的性质，同时查阅相关资料，说说在使用保鲜膜时应注意什么。

课外实验

1. 向3个相同的玻璃杯中注入相同体积的水。第一个玻璃杯用塑料保鲜膜包住杯口，第二个玻璃杯用报纸包住杯口，第三个玻璃杯敞口，如图12-25所示。一个星期后，观察3个玻璃杯中水的多少，并分析保鲜膜可以"保鲜"的可能原因。

2. 各取一小块塑料、铁片和木片，埋入潮湿的土壤内，两周后取出。观察三种材料的变化情况。实验结果说明什么？

图12-25 有关保鲜膜的实验

学完本课题你应该知道

1. 有机化合物都含有碳元素，但含碳元素的化合物并不都是有机化合物。

2. 有机高分子化合物是相对分子质量很大的有机化合物。

3. 塑料、合成纤维和合成橡胶等是重要的有机合成材料。有机合成材料的出现是对自然资源的一种补充，化学在有机合成材料的发展中起着重要作用。新型有机合成材料必将为人类创造更加美好的未来。

4. 使用有机合成材料会对环境造成影响，如"白色污染"。

1. 下列几种常见的饮料中，不含有机物的可能是（　　　　）。
   A.果汁　　　　　B.牛奶　　　　　C.矿泉水　　　　　D.啤酒

2. 有机化合物具有什么特点？

3. 我国政府规定：禁止生产、销售和使用超薄塑料袋，所有超市、商场和集贸市场不得免费提供塑料购物袋，并要求提高废弃塑料的回收利用水平。为什么要这样做？请举例说明你家中的废弃塑料制品是怎样处理的。

4. 收集一些衣料的纤维，分别贴在下表第 2 行中。取一部分做燃烧实验，将实验现象填在第 3 行中。结合实验现象并查阅有关资料，说明初步鉴别各种纤维的简单方法及现象。

纤维的种类	棉纤维	羊毛纤维	合成纤维（如涤纶、锦纶等）
制品			
燃烧现象			

5. 查阅资料，了解自来水管道和下水管道材料的变迁，体会材料的发展对社会进步的重要作用。

单元小结

一、人类重要的营养物质

基本营养素	蛋白质	糖类	油脂	维生素	无机盐	水
主要营养功能						

二、化学元素与人体健康

1. 人体中含量较多的四种元素是＿＿＿＿＿＿＿＿＿＿。在人体中含量超过 0.01%的元素称为＿＿＿＿＿＿，含量在0.01%以下的元素称为＿＿＿＿＿＿。

2. 必需元素的摄入是否越多越好？为什么？

三、有机合成材料

1. 填写下表：

化合物 ⎰ 无机化合物　举例：＿＿＿＿＿＿＿＿＿＿＿＿＿＿＿＿＿＿＿＿＿＿
　　　　⎱ 有机化合物 ⎰ 有机小分子化合物　举例：＿＿＿＿＿＿＿＿＿＿＿
　　　　　　　　　　　⎱ 有机高分子化合物　举例：＿＿＿＿＿＿＿＿＿＿＿

有机高分子材料 ⎰ 天然有机高分子材料　举例：＿＿＿＿＿＿＿＿＿＿＿＿＿
　　　　　　　　⎱ 合成有机高分子材料 ⎰ 塑料　　　举例：＿＿＿＿＿＿＿＿＿
　　　　　　　　　　　　　　　　　　　⎱ 合成纤维　举例：＿＿＿＿＿＿＿＿＿
　　　　　　　　　　　　　　　　　　　　 合成橡胶　举例：＿＿＿＿＿＿＿＿＿

2. 为减少"白色污染"，应采取的措施有：＿＿＿＿＿＿＿＿＿＿＿＿＿＿＿＿

＿＿＿

＿＿＿

结束语

初中化学的学习就要结束了，你们从中学到了很多有趣而且有用的知识，学会了用简单的仪器和药品进行实验的方法，对探究性学习也有了初步的体验，为了解化学、建立初步的化学观念打下了基础。

在化学家看来，绚丽多彩的物质世界是由为数不多的化学元素组合而成的。品种繁多的材料、五彩缤纷的花朵、璀璨夺目的宝石和维持生命活动的食品等，不过是不同种类、不同数量元素的原子按照特定方式搭接而成的。就像浩如烟海的英语单词是由26个字母所组成，造型奇特的建筑物的基本材料不外乎砖、木、灰、石、钢材、铝材、玻璃、塑料等那样。把复杂的事物简化为构成它们的基本元素，是一种普遍适用的科学方法，也是人类认识自然和社会时常用的方法。

中国有句古话"见微知著"，意思是通过对局部的、个别事例的观察和研究，有助于对整体事物作出合理的描述和判断。但是，就化学本身的特点来看，"见著知微"可能更符合初学者的感觉。成为化学基础的原子和分子是如此之小，用肉眼直接看是看不见的。可是你却可以通过对实验现象的观察、思考和推论，建立起对微小的原子、分子的认识。例如，通过对水的通电分解，可以得出水的组成是 H_2O 的结论；通过大烧杯下一个小烧杯中的浓氨水能够使另一个小烧杯中的酚酞溶液变红，可以形成对分子扩散的认识；等等。尽管当年科学家们在得到这些结论时是那么不容易，可是他们所建立起来的研究方法和思路却成为近百年来化学飞速发展的基础，使我们能够比较容易地踏入化学学科的大门，从而使"见著知微"成为化学学科的重要特点之一。

化学家对于分子的形成和结构提出过许许多多的理论，在这些理论的指导下，新分子的合成方法得到了极大的发展。人类发现和合成的物质已经高达数千万种，而且增长的速度越来越快。对于初学者来说，把分子的构建过程设想为类似于积木搭接的过程，可能更容易从中体会到化学的思维方法，并感受到其中无限的乐趣。化合物的合成好比是在用积木块搭建你心目中所预想的某个模型；化学分析好比是通过拆卸变形金刚或机器人来了解内部的构件和结构原理。

20世纪科学技术的发展，使人们有了直接观察和操纵单个原子或分子的可能性，一旦这些技术成为人们的实验手段，化学将变为同时具备"见著知微"和"见微知著"双重特点的科学。纳米科学家们用原子按照预期的组成和结构来制造分子的设想，浪漫而奇妙，甚至有点"荒诞"，但却是合理的，因而是一定能够实现的。它的实现，将会使得物质资源的利用达到最佳水平，能源和环境问题也将随之得到缓解。如果人们可以把 CO_2 中的C、H_2O 中的H和 O_2 中的O直接用来制造葡萄糖，甚至让这个过程在人体内直接完成，困扰当今世界的许多问题将迎刃而解。科学技术的发展给人们展示的这个前景是何等的诱人啊！

当你在书中读到 C_{60}、形状记忆合金等有关介绍时，一定有过惊奇的感觉；它应当使你认识到熟悉重要的元素符号、化学式和化学方程式的必要性。因为那些令你感到有趣和惊奇的化合物、材料或器件，正是在这些基础上发现和发明出来的。不要认为高新技术离自己很远，甚至高不可攀。通过初中化学的学习，你已经具备了理解和接近它们时所必需的基础。为此，我们应当理解化学和感谢化学！

附录 I

部分酸、碱和盐的溶解性表（室温）

阳离子 \ 阴离子	OH⁻	NO₃⁻	Cl⁻	SO₄²⁻	CO₃²⁻
H^+		溶、挥	溶、挥	溶	溶、挥
NH_4^+	溶、挥	溶	溶	溶	溶
K^+	溶	溶	溶	溶	溶
Na^+	溶	溶	溶	溶	溶
Ba^{2+}	溶	溶	溶	不	不
Ca^{2+}	微	溶	溶	微	不
Mg^{2+}	不	溶	溶	溶	微
Al^{3+}	不	溶	溶	溶	—
Mn^{2+}	不	溶	溶	溶	不
Zn^{2+}	不	溶	溶	溶	不
Fe^{2+}	不	溶	溶	溶	不
Fe^{3+}	不	溶	溶	溶	—
Cu^{2+}	不	溶	溶	溶	—
Ag^+	—	溶	不	微	不

说明："溶"表示那种物质可溶于水，"不"表示不溶于水，"微"表示微溶于水，"挥"表示挥发性，"—"表示那种物质不存在或遇到水就分解了。

附录 II

部分名词中英文对照表

金属	metal	硫酸	sulfuric acid
铁	iron	硝酸	nitric acid
铜	copper	氢氧化钠	sodium hydroxide
铝	aluminium	氢氧化钙	calcium hydroxide
钢	steel	潮解	deliquescene
钛	titanium	中和反应	neutralization reaction
合金	alloy	盐	salt
置换反应	displacement reaction	碳酸钠	sodium carbonate
金属活动性顺序	metal activity series	碳酸氢钠	sodium bicarbonate
溶剂	solvent	复分解反应	double decomposition reaction
溶质	solute		
溶液	solution	化学肥料	chemical fertilizer
饱和溶液	saturated solution	农药	agricultural chemicals
不饱和溶液	unsaturated solution	蛋白质	protein
溶解度	solubility	氨基酸	amino acid
氯化钠	sodium chloride	酶	enzyme
硝酸钾	potassium nitrate	糖类	carbohydrate
结晶	crystallization	葡萄糖	glucose
浓度	concentration	蔗糖	sucrose
溶质的质量分数	mass fraction of solute	淀粉	starch
酸	acid	有机化合物	organic compound
碱	alkali	合成材料	synthetic material
酚酞	phenolphthalein	高分子化合物	polymer
石蕊	litmus	塑料	plastic
酸碱指示剂	acid-base indicator	合成纤维	synthetic fiber
盐酸	hydrochloric acid	合成橡胶	synthetic rubber

后　记

　　本册教科书是人民教育出版社课程教材研究所化学课程教材研究开发中心依据教育部《义务教育化学课程标准》（2011年版）编写的，经国家基础教育课程教材专家工作委员会2012年审查通过。

　　本册教科书集中反映了基础教育教科书研究与实验的成果，凝聚了参与课改实验的教育专家、学科专家、教研人员以及一线教师的集体智慧。我们感谢所有对教科书的编写、出版提供过帮助与支持的同仁和社会各界朋友，以及整体设计艺术指导吕敬人等。特别感谢为本册教科书中化学实验的验证和拍摄提供支持的中央民族大学附属中学。

　　本册教科书出版之前，我们通过多种渠道与教科书选用作品（包括照片、画作）的作者进行了联系，得到了他们的大力支持。对此，我们表示衷心的感谢！但仍有部分作者未能取得联系，恳请入选作品的作者与我们联系，以便支付稿酬。

　　我们真诚地希望广大教师、学生及家长在使用本册教科书的过程中提出宝贵意见，并将这些意见和建议及时反馈给我们。让我们携起手来，共同完成义务教育教材建设工作！

联系方式
电　　话：010–58758376
电子邮箱：jcfk@pep.com.cn

人民教育出版社 课程教材研究所
化学课程教材研究开发中心
2012年5月